당신에게 망고보드는
천재일우
2
당신에게
망고보드는
(세상 모든 디자인 제작)
천재일우다!
천재일우(千載一遇)
BOOKK

인생을 바꿔 줄
4가지 천재일우 멘토
0
당신에게
부크크출판사는
천재일우다!
1
당신에게
유페이퍼는
천재일우다!
2
당신에게
망고보드는
천재일우다!
3
당신에게
발한book기술책은
천재일우다!

방탄 자기계발 사관학교

만나서 반갑습니다!
좋은 일이 생길 거예요!

가슴이 설레는 만남이 아니어도 좋습니다.
가슴이 떨리는 운명적인
만남이 아니어도 좋습니다.
만남 자체가 소중하니까요!

최보규 천재일우 멘토

머리말
0
당신에게
부크크출판사는
천재될우다!
1
당신에게
유페이퍼는
천재될우다!
2
당신에게
망고보드는
천재될우다!
3
당신에게
망탄book기술책은
천재될우다!

80억 분의 1 검증된 천재일우 멘토

천재일우 Mentor

천재일우(千載一遇):
천 년에 한 번 만난다는 뜻으로
좀처럼 만나기 어려운 기회

"당신은 제가 좋은 사람이 되고 싶도록 만들어요!" 라는
마음을 들게 하여 실천하게 만드는
천재일우 멘토가 되어 주겠습니다.
잘난 멘토가 아닌 진실한 멘토가 되어 주겠습니다.
대단한 멘토가 아닌 좋은 멘토가 되어 주겠습니다.
멋진 멘토가 아닌 따뜻한 멘토가 되어 주겠습니다.
유명한 멘토가 아닌 필요한 멘토가 되어 주겠습니다.

천재일우 멘토 코칭전문가

당신에게는 천재일우 멘토가 있는가?
사람은 누구를 만나느냐에 따라 달라지고
누구와 함께 하느냐에 따라 인생이 달라진다.

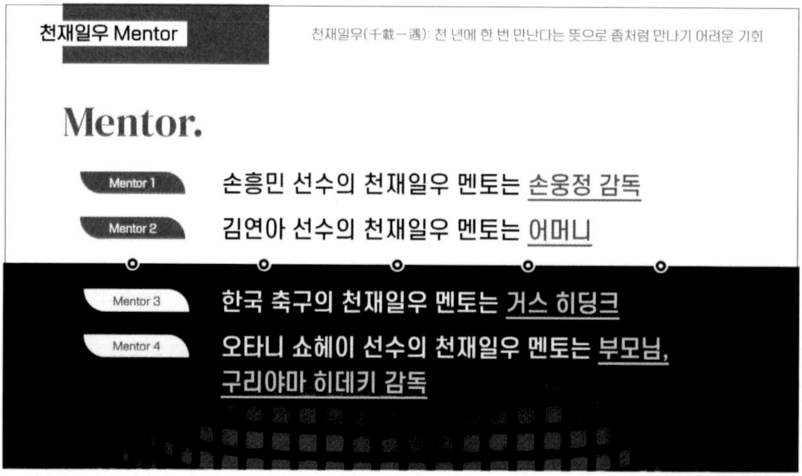
천재일우 Mentor
천재일우(千載一遇): 천 년에 한 번 만난다는 뜻으로 좀처럼 만나기 어려운 기회
Mentor.
Mentor 1
손흥민 선수의 천재일우 멘토는 손웅정 감독
Mentor 2
김연아 선수의 천재일우 멘토는 어머니
Mentor 3
한국 축구의 천재일우 멘토는 거스 히딩크
Mentor 4
오타니 쇼헤이 선수의 천재일우 멘토는 부모님, 구리야마 히데키 감독

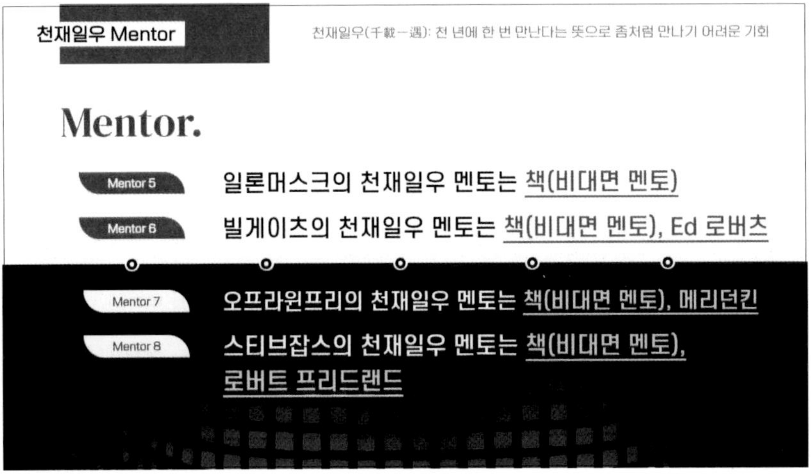
천재일우 Mentor
천재일우(千載一遇): 천 년에 한 번 만난다는 뜻으로 좀처럼 만나기 어려운 기회
Mentor.
Mentor 5
일론머스크의 천재일우 멘토는 책(비대면 멘토)
Mentor 6
빌게이츠의 천재일우 멘토는 책(비대면 멘토), Ed 로버츠
Mentor 7
오프라윈프리의 천재일우 멘토는 책(비대면 멘토), 메리던킨
Mentor 8
스티브잡스의 천재일우 멘토는 책(비대면 멘토), 로버트 프리드랜드

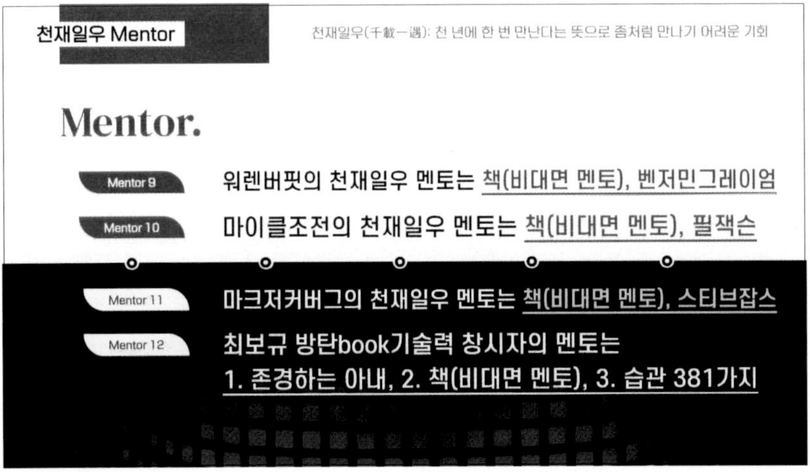
천재일우 Mentor
천재일우(千載一遇): 천 년에 한 번 만난다는 뜻으로 좀처럼 만나기 어려운 기회
Mentor.
Mentor 9
워렌버핏의 천재일우 멘토는 책(비대면 멘토), 벤저민그레이엄
Mentor 10
마이클조전의 천재일우 멘토는 책(비대면 멘토), 필잭슨
Mentor 11
마크저커버그의 천재일우 멘토는 책(비대면 멘토), 스티브잡스
Mentor 12
최보규 방탄book기술력 창시자의 멘토는
1. 존경하는 아내, 2. 책(비대면 멘토), 3. 습관 381가지

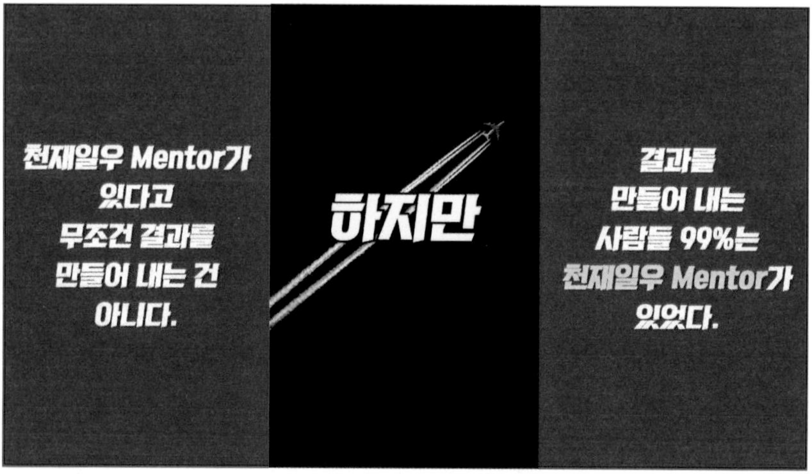
천재일우 Mentor가
있다고
무조건 결과를
만들어 내는 건
아니다.
하지만
결과를
만들어 내는
사람들 99%는
천재일우 Mentor가
있었다.

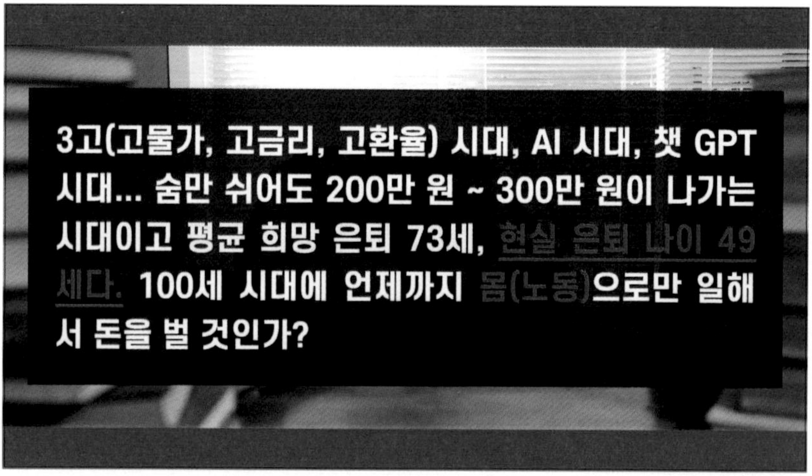
3고(고물가, 고금리, 고환율) 시대, AI 시대, 챗 GPT 시대… 숨만 쉬어도 200만 원 ~ 300만 원이 나가는 시대이고 평균 희망 은퇴 73세, 현실 은퇴 나이 49세다. 100세 시대에 언제까지 몸(노동)으로만 일해서 돈을 벌 것인가?

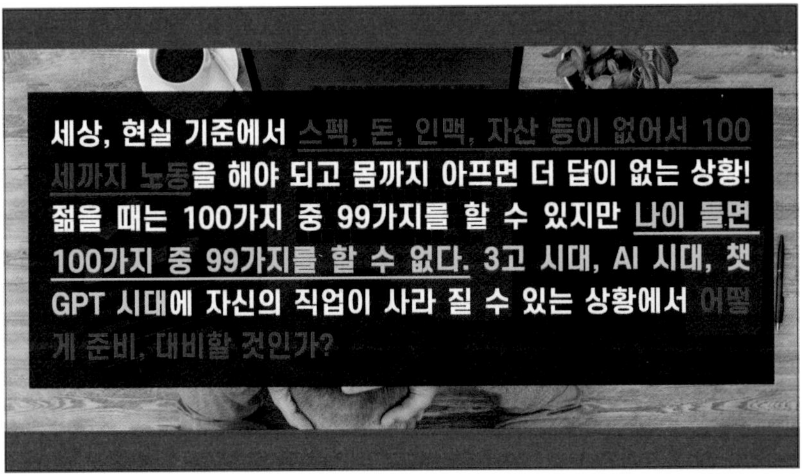
세상, 현실 기준에서 스펙, 돈, 인맥, 자산 등이 없어서 100세까지 노동을 해야 되고 몸까지 아프면 더 답이 없는 상황! 젊을 때는 100가지 중 99가지를 할 수 있지만 나이 들면 100가지 중 99가지를 할 수 없다. 3고 시대, AI 시대, 챗GPT 시대에 자신의 직업이 사라 질 수 있는 상황에서 어떻게 준비, 대비할 것인가?

지금 상황을 극복하기 위한 천재일우 멘토가 필요하다.
지금 당신에게 필요한
4가지 천재일우 멘토를 소개한다.

천재일우 Mentor

천재일우(千載一遇): 천 년에 한 번 만난다는 뜻으로 좀처럼 만나기 어려운 기회

keyword.

0.MENTOR

1.MENTOR

2.MENTOR

3.MENTOR

지금 당신에 걱정, 고민을 해결해 줄 4가지 멘토!

지금 당신에 걱정, 고민을 해결해 줄 4가지 멘토는 선택이 아닌 필수!

천재일우 Mentor

천재일우(千載一遇): 천 년에 한 번 만난다는 뜻으로 좀처럼 만나기 어려운 기회

0. Mentor

당신에게는 부크크출판사가 천재일우다!

스펙, 돈, 외모, 인맥, 실력... 아무것도 없는 사람에게 부크크출판사는 천재일우 멘토다! 평균 자비출판 한 권 출간 비용 300만 원 발생하지만 <u>부크크출판사를 통하면 0원이다.</u>

천재일우 Mentor

천재일우(千載一遇): 천 년에 한 번 만난다는 뜻으로 좀처럼 만나기 어려운 기회

1. Mentor

당신에게는 유페이퍼출판사가 천재일우다!

스펙, 돈, 외모, 인맥... 아무것도 없는 사람에게 유페이퍼출판사는 천재일우 멘토다!
자신 경력, 자신 분야 전문성을 활용하여 전자책을 0원으로 출간하여 24시간 수입 창출 무인 시스템을 만들 수 있다.

천재일우 Mentor

천재일우(千載一遇): 천 년에 한 번 만난다는 뜻으로 좀처럼 만나기 어려운 기회

2. Mentor

당신에게는 망고보드가 천재일우다!

스펙, 돈, 외모, 인맥, 실력... 아무것도 없는 사람에게 망고보드는 천재일우 멘토다!
마우(마우스만 움직일 줄 아는 사람)실력이어도 망고보드 프로그램을 통해 전문가 수준급으로 돈을 벌게 하는 디자인 제작을 할 수 있다. 디지털 콘텐츠 시대에 디자인 스펙은 선택이 아닌 필수다.

천재일우 Mentor

천재일우(千載一遇): 천 년에 한 번 만난다는 뜻으로 좀처럼 만나기 어려운 기회

3. Mentor

당신에게는 방탄book기술력은 천재일우다!

스펙, 돈, 외모, 인맥, 실력... 아무것도 없는 사람에게 방탄book 기술력은 천재일우 멘토다!

노벨상 받은 사람, 하버드 대학교 교수, 은퇴 전문가, 노후 전문가들 1,000명이면 1,000명이 말하는 것이 최고의 은퇴 준비, 노후 준비는 100세까지 현역을 하는 것이라고 한다.

방탄book기술력(수입 창출 6가지 시스템)은 100세까지 지속적인 수입을 발생시키고 100세까지 현역을 유지시켜 준다.

천재일우 Mentor

천재일우(千載一遇): 천 년에 한 번 만난다는 뜻으로 좀처럼 만나기 어려운 기회

20,000명 심리 상담, 코칭 하면서 알게 된 사람들이 바라는 시스템!
6가지 모두 가능하게 만드는 방탄book기술력!

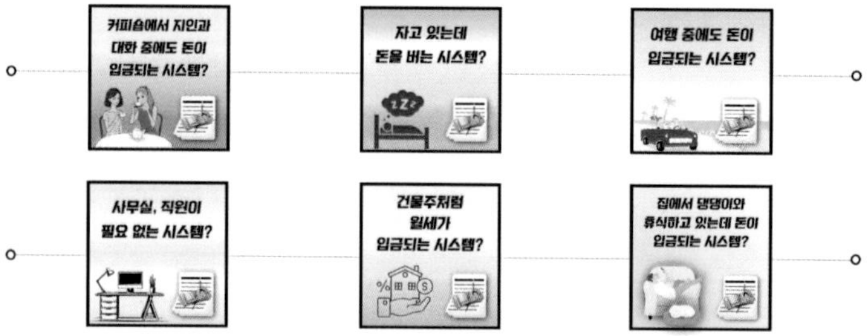

커피숍에서 지인과 대화 중에도 돈이 입금되는 시스템?
자고 있는데 돈을 버는 시스템?
여행 중에도 돈이 입금되는 시스템?
사무실, 직원이 필요 없는 시스템?
건물주처럼 월세가 입금되는 시스템?
집에서 댕댕이와 휴식하고 있는데 돈이 입금되는 시스템?

이 책을 보는 순간 당신 인생에 천재일우가 온 것이다.
[천재일우(千載一遇): 천 년에 한 번 만난
다는 뜻으로 좀처럼 만나기 어려운 기회]

4가지 천재일우 멘토 시스템 설명 시작한다.
0.MENTOR
1.MENTOR
2.MENTOR
3.MENTOR
www.방탄자기계발사관학교.com
Google 자기계발아마존
YouTube 방탄자기계발
NAVER 방탄book기술력
NAVER 최보규

ONLY ONE
"80억 분의 1 검증된 전문가"
특허청 등록
최보규 자기계발코칭 창시자
등록 번호: 제 40-2072344 호
최보규 대표
상담, PT, 코칭, 강의, 컨설팅 문의
010-6578-8295
특허청 등록
최보규 리더동기부여 코칭전문가
등록 번호: 제 40-2128786 호
대한민국 강사 섭외 NO1 '강사야'
'강사야' "대표 일타 강사 최보규"
GANGSAYA 강사섭외
최보규
로그인 회원가입
전체분야 강사프로필 섭외문의 분야별특강 커뮤니티 추천강사
섭외문의무료등록
최보규강사
특허청 등록으로 검증된 강사!
방탄 동기부여/리더십/자기계발
동기부여/리더십/자기계발 업데이트!
저서 100권의 내공을 통한 세계 최초 1+4를 주는 가성비 강사!
(강의메세지+즐거움+스토리텔링+실천 사용 설명서 제공)
Google 자기계발아마존
YouTube 방탄자기계발
NAVER 강사야
NAVER 최보규

명품 동기부여

명품 자기계발

최보규 대표

상담, 코칭, 강의, 컨설팅 문의

010-6578-8295

현] 방탄자기계발사관학교 대표
현] 강사야 대표강사
현] 자기계발아마존 CEO
현] 방탄book 출판사 대표
현] 방탄강사사관학교 코칭전문가
현] 사랑의전화 카운슬러
현] 방탄자기계발 유튜버
현] 최보규상(대한민국 노벨상)창시자

방탄
동기부여
명품
동기부여
명품
자기계발
COACHING
책150권 출간
상담 17,000회
코칭 13,000회
강의 경력 6,200회
Google 자기계발아마존
YouTube 방탄자기계발
NAVER 방탄자기계발사관학교
NAVER 최보규
N 최보규
네이버 인물정보 등록 34만 명! (2016년 기준)
대한민국 1% 미만 "네이버 명예의 전당" 인물정보 등록!
전체 프로필 최근활동 도서
프로필
소속 방탄자기계발사관학교/방탄북(BOOK)출판사(대표)
수상 2016년 제1회 세계를 빛낸 천사상 대상
경력 방탄자기계발사관학교/방탄북(BOOK)출판사 대표
방탄자기계발사관학교 대표
2012.05~2016.06 사랑의전화 전화상담 자원봉사자
2014.11 행복사관학교 대표
사이트 유튜브, 블로그, 네이버TV, 페이스북, 공식홈페이지
작품★ 도서 108건, 관련활동

자기계발서 150권, 전자책 250권 출간으로
삼성(진정성, 전문성, 신뢰성)이 검증된 전문가

Google 자기계발아마존 | YouTube 방탄자기계발 | NAVER 방탄자기계발사관학교 | NAVER 최보규

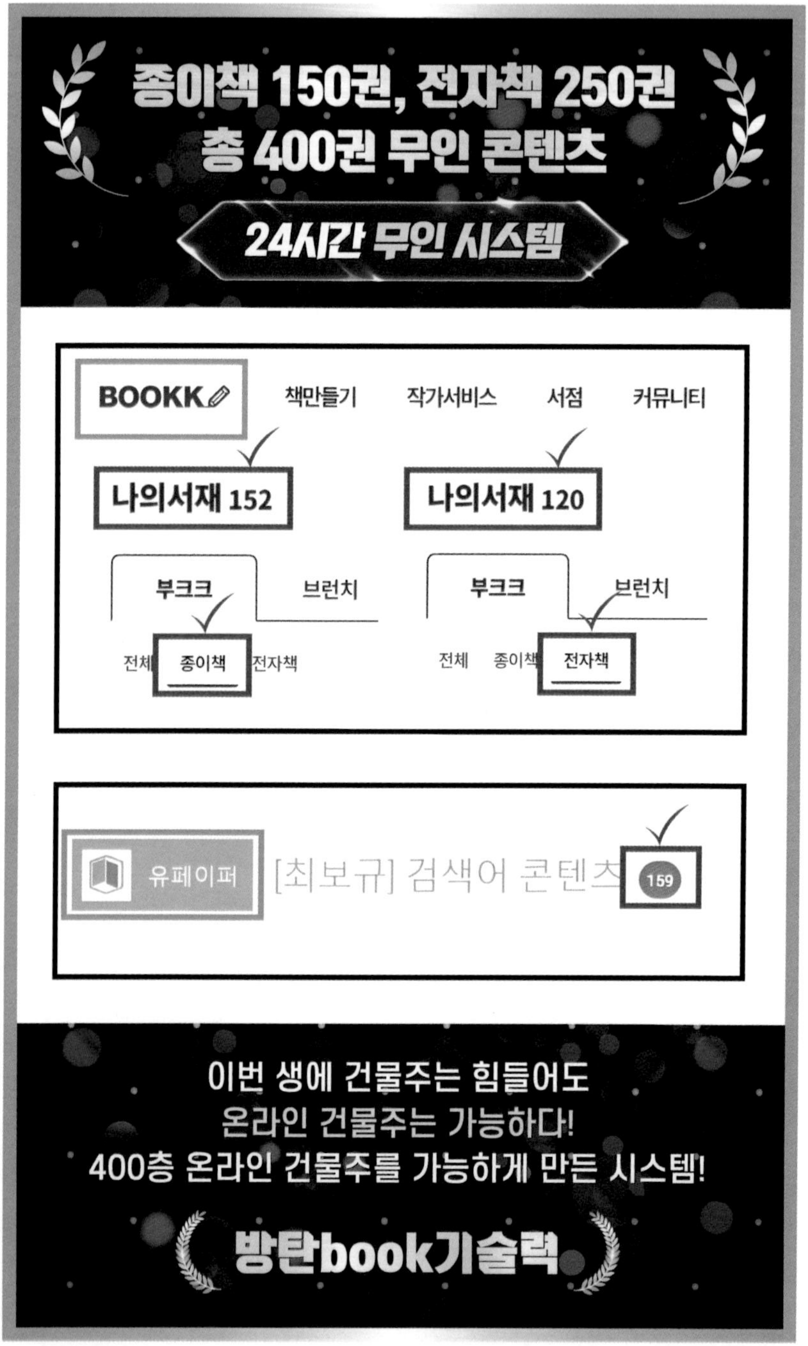
종이책 150권, 전자책 250권
총 400권 무인 콘텐츠
24시간 무인 시스템
BOOKK
책만들기
작가서비스
서점
커뮤니티
나의서재 152
나의서재 120
부크크
브런치
부크크
브런치
전체
종이책
전자책
전체
종이책
전자책
유페이퍼
[최보규] 검색어 콘텐츠
159
이번 생에 건물주는 힘들어도
온라인 건물주는 가능하다!
400층 온라인 건물주를 가능하게 만든 시스템!
방탄book기술력

명품 동기부여

교육 실적

명품 자기계발

기업

삼성전자, 현대자동차, 한국전력공사, LG전자, 삼성생명보험, 포스코, GS칼텍스, SK네트웍스, 기아자동차, 현대중공업, 에쓰오일, SK에너지, 한국가스공사, LG디스플레이, GM대우, 교보생명, KT, SK텔레콤, 대한생명, LG화학, 롯데백화점, 신세계백화점, 삼성물산, 삼성화재해상보험, 오일뱅크, 대한항공, 삼성중공업, 현대모비스,하이닉스반도체, 현대제철, 대우조선해양, 한진해운, 대우건설, GS건설, 현대건설, 한국수력원자력, 효성, LG상사,현대상선, 현대해상화재보험, 대림산업, STX팬오션, LIG손해보험, LG텔레콤, 동부화재, 여천NCC, SK건설, 삼성테스코, 삼성SDI, 삼성토탈, 현대하이스코, 한국남부발전, 동국제강, 아시아나항공, 롯데건설, 포스코건설,한화, SK가스, ING생명, 위아,삼성테크윈, 대우차판매, 쌍용자동차, 제일모직, 한국서부발전, 한국동서발전,신한카드, 현대미포조선, 르노삼성자동차, 현대산업개발, GS리테일, 대우증권, 신한지주금융, 삼성전기, 현대삼호중공업, 우리투자증권, 비씨카드, 메리츠화재, 글로비스, 한화석유화학, 삼성카드, 현대증권, 로보트보쉬, 씨티클럽증권, 한독약품, 이마트, 제일기획, 리츠칼튼, 유엔젤, 삼선개발, CJ, 코오롱, 오리온, GS마켓, 종로학원, 길영사, 아토, 코엔텍, 휴스틸, 블루클럽, 한국콘베어, 디시페로 신진화학 등 2000여 대중소기업

은행

KB국민은행, 우리은행, 신한은행, 산업은행, SC제일은행, 하나은행, 기업은행, 한국외환은행, 한국씨티은행, 농협, 수협, 축협 등

관공서

금융감독원, 검찰청, 국세청, 경찰청, 법무부, 식약청, 보건복지부, 교육청, 서울시, 각 구청, 서울시, 수원시, 인천시, 안동시, 제주시, 안양시, 거제시, 상주시, 민방위교육장, 한국과학기술평가원, 보훈교육연구원, 각 지역 교육연수원, 한국교육개발원, 농업기술센터, 농업기반공사, 국립공원관리공단, 국립특수교육원, 건설교통인재개발원 한국증권업협회 등 200여개 기관

병원

서울대병원, 서울아산병원, 삼성서울병원, 연세대세브란스병원, 가톨릭대 서울성모병원, 아주대병원, 고려대안암병원, 한양대병원, 중앙대병원, 선한목자정형외과, 순천향병원, 보훈병원, 봄빛병원, 이다치과, 소리이비인후과, 영산의료법인 등

대학교 특강 (교양, 최고경영자과정, 명사특강)

서울대, 연세대, 고려대, 중앙대, 한양대, 서강대, 포스텍, 카이스트, 경희대, 인하대, 이화여대, 조선대, 안동대, 건국대, 동아대, 충주대, 대전대, 청주대, 대진대, 한국산업기술대, 금오공과대, 아주대, 경기대, 숙명여대, 동국대, 순천대, 전남대, 영남대, 경기대, 경남대, 세종대, 카톨릭대, 경북대, 부경대, 창원대, 목포대, 광주여대, 한국해양대, 세명대, 충남대, 광운대, 울산대, 국민대, 제주대, 서울시립대, 단국대, 군산대, 경성대, 대구대, 동아방송예대, 동의과학대, 백석대, 백석예술대, 폴리텍대, 인천대 등 150여개 대학교

강의 사진

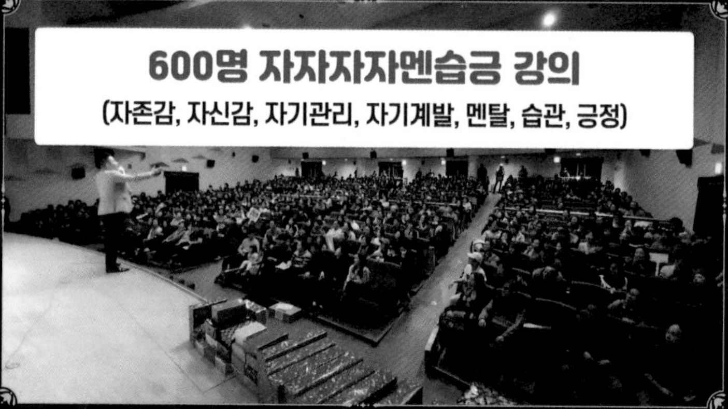

600명 자자자자멘습긍 강의
(자존감, 자신감, 자기관리, 자기계발, 멘탈, 습관, 긍정)

500명 자자자자멘습긍 강의
(자존감, 자신감, 자기관리, 자기계발, 멘탈, 습관, 긍정)

최보규 방탄강사 창시자

저는 입으로 강의하지 않겠습니다.
제 삶으로 강의하겠습니다.
저는 가르치지 않겠습니다.
제 삶으로 가르치겠습니다.
최보규강사는 명강사, 스타강사가 아닙니다!
그래서 한 달에 15권 책을 보고 메모하며
강의 준비, 솔선수범 하고 있습니다!
최보규강사 보다 강의 잘하는 사람은 많습니다!
다만 최보규강사 만큼 학습자를
사랑하는 강사는 세상에 없을 것입니다!

최보규 방탄동기부여 신조

들어라 하지 말고 듣게 하자.
누구처럼 살지 말고 나답게 살자.
좋아하게 하지 말고 좋아지게 하자.
마음을 얻으려 하지 말고 마음을 열게 하자.
믿으라 말하지 말고 믿을 수 있는 사람이 되자.
좋은 사람을 기다리지 말고 좋은 사람이 되어주자.
보여주는(인기) 인생을 사는 것이 아닌
보여지는(인정) 인생을 살아가자.
나 이런 사람이야 말하지 않아도
이런 사람이구나 몸, 머리, 마음으로 느끼게 하자.

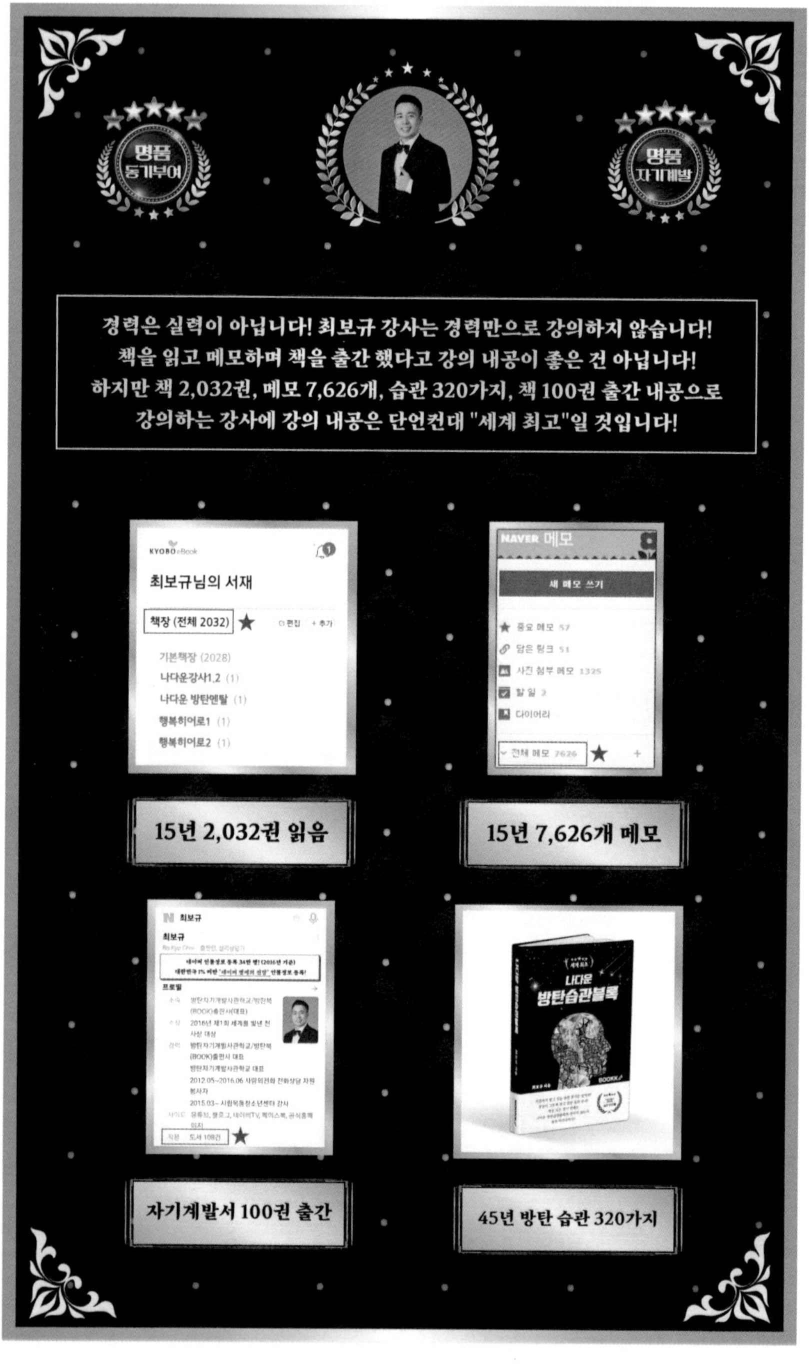
명품 동기부여
명품 자기계발
경력은 실력이 아닙니다! 최보규 강사는 경력만으로 강의하지 않습니다!
책을 읽고 메모하며 책을 출간 했다고 강의 내공이 좋은 건 아닙니다!
하지만 책 2,032권, 메모 7,626개, 습관 320가지, 책 100권 출간 내공으로
강의하는 강사에 강의 내공은 단언컨대 "세계 최고"일 것입니다!
KYOBO eBook
최보규님의 서재
책장 (전체 2032)
기본책장 (2028)
나다운강사1,2 (1)
나다운 방탄멘탈 (1)
행복히어로1 (1)
행복히어로2 (1)
15년 2,032권 읽음
NAVER 메모
새 메모 쓰기
중요 메모 57
담은 링크 51
사진 첨부 메모 1325
할 일 2
다이어리
전체 메모 7626
15년 7,626개 메모
최보규
프로필
자기계발서 100권 출간
나다운 방탄습관블록
BOOKK
45년 방탄 습관 320가지

최보규 강사 11계명

1. 학습자에게 섬김을 받으려는 강의가 아닌 학습자를 섬길 수 있는 강의를 하겠습니다.
2. 오늘이 마지막 날인 것처럼 강의하고 영원히 살 것처럼 학습자에게 배우겠습니다.
3. 강의 있는 전날에는 최상의 컨디션을 유지 하기 위해 건강관리, 목 관리, 자기관리 하겠습니다.
4. 강의장 1시간 전에 도착해서 강의 마음가짐 준비하겠습니다.
5. 강의장 가장 먼저 도착 강의 끝난 후 가장 늦게 나오겠습니다.
6. 내 삶이 강의고 강의가 내 삶이 되도록 행동하겠습니다.
7. 힘들게 배운 강의 노하우들 아낌없이 주겠습니다.
8. 어떻게 하면 학습자에게 즐거움? 행복? 메시지? 감동? 희망? 사랑?을 줄 것인가에 항상 생각하며 공부하겠습니다.
9. TV보다 책을 더 보겠습니다. 10. 공인이라는 마음으로 솔선수범하겠습니다.
11. 강사의 자존심 아침에 나올 때 신발장에 넣고 나오겠습니다.

방탄강사 백신

★ 잘난 강사가 되지 않고 진실한 강사가 되겠습니다!
잘난 강사는 피하고 싶어지지만 진실한 강사는
곁에 두고 싶어집니다!

★ 대단한 강사가 되지 않고 좋은 강사가 되겠습니다!
대단한 강사는 부담을 주지만 좋은 강사는
행복을 줍니다

★ 멋진 강사가 되지 않고 따뜻한 강사가 되겠습니다!
멋진 강사는 눈을 즐겁게 하지만 따뜻한 강사는
마음을 데워 줍니다.

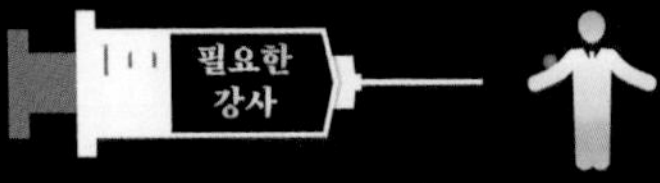

★ 유명한 강사가 되지 않고 필요한 강사가 되겠습니다!
유명한 강사는 환상을 주지만 필요한 강사는
배움, 성장, 지혜를 줍니다.

최보규 방탄동기부여 전문가
검증된 PT; 강의, 맞춤 코칭, 컨설팅
특허청 등록
최보규 자기계발코칭 창시자
등록 번호: 제 40-2072344 호
최보규 대표
010-6578-8295
특허청 등록
최보규 리더동기부여 코칭전문가
등록 번호: 제 40-2128786 호
방탄자기계발사관학교는 국가등록 민간자격증 발급 기관! 명품 인재 양성 기관!
리더십코칭전문가
동기부여코칭전문가
자기계발코칭전문가
강사코칭전문가
책쓰기코칭전문가
리더 분야
동기부여 분야
자기계발 분야
강의, 강사 분야
책쓰기, 책출간 분야
<저자 최보규>
<저자 최보규>
<저자 최보규>
<저자 최보규>
<저자 최보규>
방탄 리더십
리더 7대의무교육
리더 품위유지의무
리더 은퇴, 재테크
리더 동기부여
리더 스피치
리더 사명감, 인성
리더 기본기, 태도
리더 자존감, 멘탈
리더 습관, 행복
리더 인간관계
인재 양성 매뉴얼
리더 감정컨트롤
리더 스트레스관리
리더 라포형성기법
리더 상담기법
리더 코칭기법
리더 스토리텔링
7대 동기부여
변화,성장동기부여
비전 동기부여
열정 동기부여
사원 동기부여
임원진 동기부여
직급별 동기부여
사랑 동기부여
자존감 동기부여
자신감 동기부여
자기관리 동기부여
자기계발 동기부여
멘탈 동기부여
습관 동기부여
긍정 동기부여
인간관계 동기부여
인재양성 동기부여
행복 동기부여
7대 자기계발
변화,성장자기계발
비전 자기계발
열정 자기계발
사원 자기계발
임원진 자기계발
직급별 자기계발
사랑 자기계발
자존감 자기계발
자신감 자기계발
자기관리 자기계발
자기계발 자기계발
멘탈 자기계발
습관 자기계발
긍정 자기계발
인간관계 자기계발
인재양성 자기계발
행복 자기계발
강사 7대 의무교육
강사 인성, 매너
강사 품위유지의무
강사1~3년 차
강사료 올리기 위한 준비, 스펙 쌓기.
강사4~10년 차
강사료 올리기 의한 준비, 스펙 쌓기.
강사10~20년 차
강사료 올리기 위한 준비, 스펙 쌓기.
강사 스킬UP
강사 트레이닝
강의 스토리텔링 기법
강의 SPOT 기법
강사 양성 매뉴얼
강사 양성 시스템
책 쓰기 동기부여
책 출간 동기부여
작가 품위유지의무
책 쓰기, 책 출간 10G 매뉴얼, 시스템.
100권 출간으로 월세, 연금성 수입 창출전수.
강의 교안으로 책 쓰고 책 출간.
출간한 책으로 강의 교안 작업.
출간한 책으로 온라인, 디지털 콘텐츠 제작.
6가지 수입을 창출 하는 책 쓰기, 책 출간.
100년 지속 할 수 있는 기술력을 배우는 책 쓰기, 책 출간.
Google 자기계발아마존
YouTube 방탄자기계발
NAVER 방탄자기계발사관학교
NAVER 최보규

해보자! 해보자!
자신 가능성을 믿고!
해보자!
해보자!
자신의
사과 씨, 도토리, 포도 씨 믿으세요!
사과 씨 안에 얼마나 많은 사과가 있는지 모른다!
도토리 안에 얼마나 많은 도토리가 있는지 모른다!
포도 씨 안에 얼마나 많은 포도가 있는지 모른다!

명품 자기계발
방탄 동기부여
명품 동기부여
방탄동기부여 전문가
www.방탄자기계발사관학교.com
최보규 대표
상담, 코칭, 강의, 컨설팅 문의
010-6578-8295
어제의 나는 잊어라!
살아온 날로 살아갈 날단정 짓지 말자!
자신을 못 믿겠다면 자신을 믿어주는
최보규 방탄동기부여 전문가를 믿고 시작합시다!
세상, 현실아 덤벼라!
몸, 머리, 마음을
강하게 해드립니다.!
Google 자기계발아마존
YouTube 방탄자기계발
NAVER 방탄동기부여
NAVER 최보규

목차

당신에게 망고보드는

천재일우

1.

당신에게 망고보드는

왜! 천재일우인가?

1. 당신에게 망고보드는 왜! 천재일우인가? (세상 모든 디자인 제작)

1) 앞으로 3가지 스펙이 없으면 전문가가 될 수 없다?

앞으로 디지털 시대 더 활성화되면 되었지 덜 하지는 않는다. 자신 분야 영상 촬영 편집 기술력, 홍보디자인 제작 기술력, 온라인, 디지털 콘텐츠 제작 기술력은 스펙이며 필수 스펙이 되었다.

전문 분야가 있는데 영상 편집, 홍보 디자인을 못한다? 영상 콘텐츠 제작을 못한다? 전문가라고 말을 하면 안 된다. 쪽팔리고 자존심 상해야 하며 위기의식을 가져야 한다.

자신 분야 삼성(진정성, 전문성, 신뢰성)을 높이기 위해서는 지금 트랜를 잘 봐야 한다. 유튜브, 페이스북, 인스타그램, 네이버 블로그, SNS, 자신 분야 홍보 디자인 제작, 재능마켓, 홍보 디자인, 광고 디자인, 영상, 화려한 디자인들, 화려한 사진들, 화려한 이미지들이 하루만에도 어마어마하게 쏟아지고 있다.

지금 대부분 사람들이 화려한 이미지에 노출이 많이 되어 있어서 이미지 없이 텍스트만 있는 것은 무시하고 처다보지도 않는 트렌드다. 처다보지도 않는다는 게 뭔지 아는가? 쓰레기 취급한다는 것이다.

이런 상황에서 언제까지 돈 주고 전문가에게 의뢰할 것인가? 제작 의뢰하는 것도 한계가 있는 것이다. 전문 분야가 있고 프리랜서라면 자신 분야 디자인 작업과 홍보 디자인 작업을 계속해야 한다.

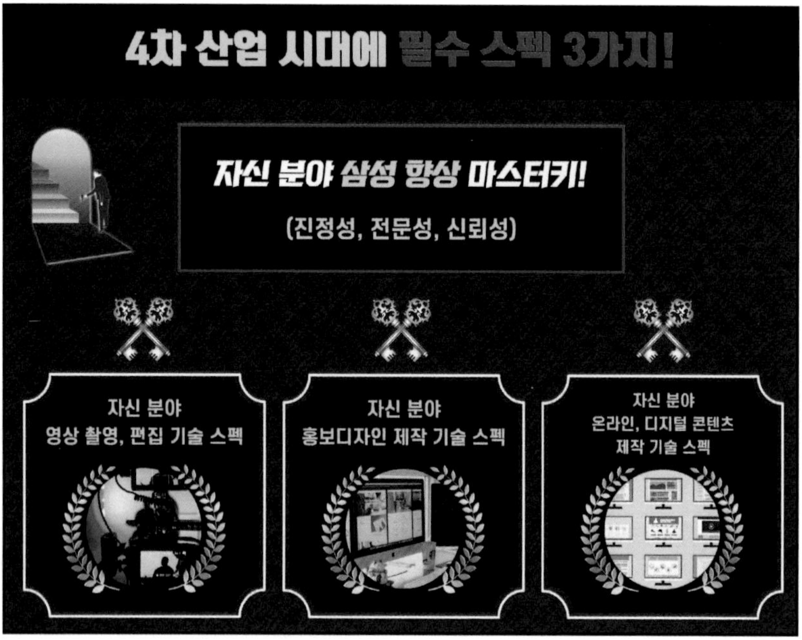

다시 한 번 강조 한다! 디지털 시대를 살아남기 위한 필수 스펙은 자신 분야 영상 촬영 편집 기술력, 홍보디자인 제작 기술력, 온라인, 디지털 콘텐츠 제작 기술력은 스펙이며 필수 스펙이다.

트렌디한 디자인이 필요할땐
망고보드
저작권 걱정 No 다양한 템플릿 제공
매주 새로운 고퀄리티의 템플릿이!
망고보드 1:1 코칭
최보규 망고보드 전문가
010-6578-8295
망고보드 쉽게 따라하기
세상에서 가장 쉬운 디자인!
마우스만 움직일 줄 알면 전문 디자인이 된다!
망고보드 1:1 코칭 한번으로
우주 책임감
150년 a/s, 피드백, 관리! 상담받자!
망고보드 핵심 팁!

2)지금 시대 사람들 집중력이 금붕어 보다 못하다?

지금 어떤 시대에 살고 있는가? 스마트폰으로 인해서 하루만 해도 영상, 이미지, 글... 눈이 아플 정도로 화려한 것을 수 만개는 본다. 한마디로 지금 시대 사람들의 평균 시각적인 수준이 높다는 것이다.
이런 상황에서 디자인이 평범하거나 호기심을 유발, 궁금증 유발 "이런 디자인은 처음 보는데 너무 신선하다. 럭셔리하다."라는 마음이 들어서 보고 싶도록 디자인을 제작해야만 선택할 확률이 높아지는 것이다. 다음은 지금 현실 속 사람들의 집중력에 대한 내용이다.

겨우 8초, 금붕어보다 못한 인간의 집중력
소위 'MZ'라고 불리는 요즘 젊은 세대는 어렸을 때부터 늘 새로운 자극으로 가득한 디지털 환경에 노출된 채 자랐다. 그래서인지 한 가지 주제에 오랫동안 집중하기 상당히 어려운 뇌 구조를 지녔다고 한다. 뭔가에 집중할 수 있는 시간(Attention Span)에 관한 연구를 살펴보자. 아동이 주의해서 집중할 수 있는 시간은 얼마나 될까? '자신의 나이×1분' 정도라고 한다. 6세 어린이는 약 6분 정도 집중할 수 있다는 뜻이다. 이 시간은 개인에 따라 차이가 있고, 몰입하면 10~15분까지는 늘어날 수 있다. 너무 지루하지도 않고 그렇다고 아주 재미있지도 않은 평범한 수업을 하고 있다고 하자. 십 대 학생들은 보통 수업을 듣기 시작하면 약 10분 후부터 집중력이 떨어진다. 일반적으로 이들이 뭔가에 주의해서 집중할 수 있는 시간은 20분을 넘기기 어렵다. 따라서 수업 시작 후 10~20분이 지나면 신경전달물질이 고갈된 학생들은 이내 집중에 어려움을 느끼고 주의가 산만해진다. 그래서 유튜브 영상의 평균 길이는 15~20분이고, 테드(TED) 강연 길이는 18분이다. 집중력을 감안해 메시지를 확실히 전달하기 위한 시간이다. 드롭박스의 마케팅 신화를 쓴 실리콘밸리 최고의 마케터 션 앨리스(Sean Ellis)가 한 말을 약간 각색하여 들어보자.

"고객의 주의집중을 원하신다고요? 사업 규모의 확장을 위해서는 시장이 원하는 언어를 사용해야 합니다. 언어의 시장 적합성이 무엇보다 중요하죠. 잠재 고객의 마음을 움직일 수 있는 말을 상상해 보세요. 당신이 만든 제품을 고객이 마주할 때 어떻게 해야 가장 효율적으로 전달할 수 있을지 생각해 보셨나요? 고객이 좋아하지 않는 언어로 구애한다면 필패입니다. 제품 가치를 알아줄 상대방이 없는 곳에서 헛스윙을 하는 거라고 생각하면 됩니다." 여기서 왜 고객의 마음을 끌어당길 언어에 몰두해야 하는지 그 이유가 나온다. 스마트폰이 생기기 전 고객이 광고에 집중할 수 있는 시간은 12초였다. 이제는 8초로 뚝 떨어졌다. 9초인 금붕어보다 못하다.

주의집중 시간의 변화
12초 - 2000년 인간의 평균 주의집중 시간
8초 - 2015년 인간의 평균 주의집중 시간
9초 금붕어의 주의집중 시간

인간의 평균 주의집중 시간 인간의 평균 주의집중 시간 금붕어의 주의집중 시간 왜 이런 일이 발생했을까? 주변의 수많은 자극에 적응하다 보니 주의력이 줄어들었다는 것이 통설이다. 생각해 보라. 우리는 매일매일 넘치는 정보의 홍수 속에서 살아가고 있다. 수시로 오는 문자와 카카오톡 메시지, 귀찮아 들여다보지도 않는 이메일처럼 하루하루 우리의 신경을 산만하게 하는 요소가 차고 넘친다. 그 결과 집중해서 주의를 지속하는 시간이 줄어드는 것은 당연한 결과다. 게다가 여러 일을 한꺼번에 하는 멀티태스킹형 업무 방식에 길들여진 젊은 세 대에게 이런 현상은 더욱 심각하게 다가올 수밖에 없다.

뇌 신경세포를 뜻하는 뉴런과 마케팅의 합성어인 뉴로마케팅(Neuro Marketing)의 연구 결과를 보자. 브랜드의 색상이 소비자로 하여금 다양한 감정을 불러일으킨다고 한다. 소비자들이 상품을 구매하는 데 있어 시각적 효과가 약 95%를 차지한다고 하니, 디자인과 색감이 큐레이터에게는 아주 중요하다. 색은 브랜드를 인식하는 강력한 수단으로, 그리고 소비자의 신뢰를 확보하는 무기로 작용한다. 빨간색 코카콜라와 초록색 스타벅스 로고가 소비자의 지갑을 열게 하는 강력한 마케팅 도구로 활용되고 있다는 것은 마케팅 세계에서는 익히 아는 이야기다.

《감정 경제학》

금붕어의 집중력이 9초인데 지금 시대 사람들의 집중력이 8초라는 말이 씁쓸하기만 하다. 지금시대 사람들의 심리를 알려주는 내용이었다.

어떤 분야든 지금 시대 사람들의 상태, 심리를 알아야만 공격적으로 영업, 마케팅을 할 수 있고 자신 분야 제품을 알릴 수 있는 것이다.

시각적인 효과가 95%를 차지한다는 것은 어마어마한 것이다. 그래서 홍보마케팅 디자인이 중요하다고 말을 하는 것이다. 지금 시대의 사람들에게 집중력 8초를 머물게 하지 못하면 끝이다.

스마트폰을 누군가는 시간 때우는 도구로 사용하고 누군가는 자신 분야와 연결하여 전문성을 높여 수입을 발생시키는데 활용한다.

자신 책, 자신 분야를 몇 백만 원 씩 들여서 홍보 할 수도 있다. 하지만 100년(평생) 해야 하는데 한번 하는 데 몇 백만 원씩 들어가는 비용을 감당할 수 있겠는가?
노오력 홍보마케팅이 아니라 최소의 비용으로 최대의 효과를 내기 위한 전략적인 올바른 홍보마케팅이 중요한 것이다. 스마트폰에 있는 홍보마케팅 도구들을 어떻게 활용할 것인가가 중요하는 것이다.

스마트폰이라는 도구가 있다면 홍보할 수 있는 재료가 있어야 한다. 재료는 자신 책을 홍보하기 위한 책 홍보 디자인 한 홍보이미지다. 전문가에게 의뢰를 하면 이미지 사진 하나를 만드는 데도 몇 십만 원씩 들어간다. 유튜브 홍보 영상 제작은 최소 200만 원 ~ 500만 원이 들어간다.

앞에서도 언급했듯이 필자 디자인 실력이 마우(마우스만 움직일 줄 아는 우주 초보)라고 했다. 지금도 PPT 만드는 수준, 디자인 실력이 마우다.

종이책 150권, 전자책 250권 총 400권 출간하면서 책 홍보마케팅을 위해 디자인한 것을 모두 다 마우 실력으로 디자인 한 것이다. 믿겨지지가 않을 것이다. 어떤 도구를 활용하느냐에 따라 마우를 전문 디자이너로 만들 수 있다. 그 기적의 시작이 망고보드다. 마우 실력만 있어도 망고보드에서 필자처럼 할 수 있다.

망고보드에서 총 400권 출간한 디자인 모든 것들을 작업했다. 망고보드에서 작업할 수 있는 디자인 종류는 사람 만드는 것 빼고 다 된다고 보면 된다. 오해하지 말았으면 한다. 필자가 망고보드 직원은 아니다. 홍보대사도 아니다.

망고보드에서 디자인 가능한 것들은 다음과 같다.

스티커 디자인, 리플렛, 전단지, 포스터, 명함, 배너, 어깨띠, 현수막, 봉투, 카탈로그, 종이컵, 프레젠테이션, A0~A5, B0~B5, 카드뉴스, 인스타그램, 페이스북, 네이버 스마트스토어, 네이버 블로그, 네이버 TV, 유튜브, 트위터, 틱톡, 로고 프로필, 북커버, 메뉴판, 구글배너, 카카오모먼트, 인포그래픽.

망고보드 장점은 기존에 만들어져 있는 디자인들 샘플을 활용해서 디자인하면 된다는 것이다. 이미 만들어져 있는 디자인을 자신 취향에 맞게 수정만 하면 된다는 것이다. 그래서 당신에게 망고보드는 천재일우인 것이다.

필자가 망고보드를 활용해서 종이책 150권, 전자책 250권 총 400권 출간하면서 어떻게 디자인을 했는지 참고하길 바란다.

20,000명 심리 상담, 코칭으로 알게 된 사람들이 바라는 6가지 시스템!

1

커피숍에서 지인과 대화 중에도 돈이 입금되는 시스템?

2

자고 있는데 돈을 버는 시스템?

3

여행 중에도 돈이 입금되는 시스템?

4

사무실, 직원이 필요 없는 시스템?

5

건물주처럼 월세가 입금되는 시스템?

6

집에서 댕댕이와 휴식하고 있는데 돈이 입금되는 시스템?

세계 최초! 출판계의 혁신!

돈이 들어오는 6가지 시스템을 가능하게 하는 것이

방탄book기술력!

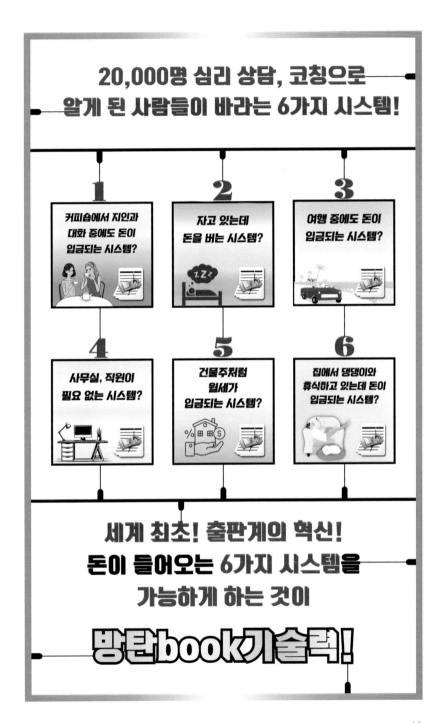

당신에게 망고보드는

천재일우

2.
망고보드에서 표지 앞면 디자인
(샘플)

2. 망고보드에서 표지 앞면 디자인 (샘플)

1권 쓰고 말 거라면 책 표지를 돈을 주고 만들면 된다. 하지만 책을 꾸준히 출간할 거라면 표지 디자인하는 기술력을 배워 시간, 돈을 아껴야 한다. 책 표지를 언제까지 돈 주고 만들 것인가? 책 표지 만드는 기술력을 배우면 100년 수입 창출을 할 수 있다. 종이책 표지 디자인을 제작하면 전자책(PDF)은 자연스럽게 만들 수 있게 된다. 한마디로 종이책 1권을 출간하면 온라인에 1층을 가지고 있는 건물주가 되는 것이다. 필자는 종이책 150권, 전자책 250권 총 400권 출간했다. 한마디로 400층의 온라인 건물주라는 것이다. 월세, 연금성 수입이 얼마 정도 발생할 거 같은가? 앞에서도 언급을 했던 내용을 참고하자.

2024년 대한민국 현실은 5명 중 1명이 사기꾼이고 3혹[유혹, 현혹, 화혹(화려함에 혹하다)]에 빠져 3명 중 1명중 한명이 사기 당한다. 대검찰청에 따르면 연간 136만 건 범죄 중 가장 많이 발생하는 범죄가 1위는 사기다. 수입 인증, 통장 인증하는 사람들 90%는 "믿음을 줘야 크게 한탕을 칠 수 있다."라는 심리가 있다. 수입 인증, 통장 인증하는 사람들이 다 사기꾼은 아니다. 하지만 단언컨대 사기꾼들은 수입 인증, 통장 인증을 한다는 것을 명심하자!
이번 생에 힘든 갓물주 위에 건물주는 힘들어도 온라인 건물주는 가능하다는 것이다. 최보규 방탄book 코칭 전문가의 PPT 디자인 수준인 마우(마우스만 움직일 줄 아는 우주 초보)에서 150권 표지를 만들 수 있었던 스토리텔링 시작한다. 지금부터 상상을 초월하는 기술력을 오픈하기에 스마트폰 무음으로 해놓고 보길 바란다.

한 분야 전문가라면 이제는 자신 분야를 홍보하기 위한 디자인 스펙은 기본으로 해야 한다. PPT를 할 줄 아는 사람이라면 필수이다. 필자의 본업은 강사다. 15년 전 강사 직업을 시작으로 7G 직업(출판사 대표, 작가, 심리상담사, 코칭 전문가, 강사, 유튜버, 한집의 가장)을 하고 있다.

강사 1년 차 PPT 디자인 수준이 상 → 중 → 하 → 마우(마우스만 움직일 줄 아는 우주 초보)에서 마우였다.
그런데 15년 전 PPT 디자인 수준이 마우였던 필자가 15년이 지난 지금도 PPT디자인 수준이 마우인 사람이 책과 연관된(종이책 표지, 종이책 3D 표지, 종이책날개 표지, 전자책 표지, 책에 들어갈 이미지 디자인, 책 출간 후 유튜브 홍보 영상 디자인, SNS 프로필 디자인... 등) 디자인 수준을 어떻게 끌어 올렸는지 150권 표지 디자인한 것을 보고 냉정하게 판단해보길 바란다. 디자인을 보면 디자인 실력, 내공, 가치가 나온다.

#. 150권 표지 디자인 중에 1%만 공개하고 종이책 표지, 날개 표지 작업 노하우, PPT에서 책 표지, 날개 표지 만드는 노하우까지 공개한다. PPT 디자인 수준이 마우(마우스만 움직일 줄 아는 우주 초보)인 사람도 가능하다는 것을 필자가 증명해 보이겠다.

종이책 표지 디자인

Google 자기계발아마존

YouTube 방탄자기계발

NAVER 행복히어로

NAVER 최보규

종이책 표지 디자인
Google 자기계발아마존
YouTube 방탄자기계발
나다운
방탄자존감 명언 I
나다운 인생으로
바꿔주는 마법같은 방탄자존감!
"세계 최초"
방탄자존감사전
"세계 최초"
방탄자존감명언
최보규
방탄자존감 창시자
BOOKK
NAVER 방탄자존감명언
NAVER 최보규

종이책 표지 디자인

Google 자기계발아마존

YouTube 방탄자기계발

NAVER 방탄자존감명언

NAVER 최보규

종이책 표지 디자인

Google 자기계발아마존

YouTube 방탄자기계발

나다운 강사 1
강사 내비게이션
최보규 지음
대한민국 최초 '강의, 강사 전문서적'
나다운 사관학교 참모총장의 강사 내비게이션
명강사, 스타 강사, 1억 연봉 프로 강사는 잊어라!
나의 꿈은 '나다운 강사'다!
좋은땅

NAVER 나다운강사1

NAVER 최보규

종이책 표지 디자인

Google 자기계발아마존

YouTube 방탄자기계발

나다운 강사 2
강사 사용 설명서
최보규 지음
대한민국 최초 '강의, 강사 전문서적'
강사료, 강의 내공, 강사 스킬, 강사 행복, 강사 수명…
강사의 모든 것을 결정짓는 것,
강사 멘탈!
좋은땅

NAVER 나다운강사2

NAVER 최보규

종이책 표지 디자인
Google 자기계발아마존
YouTube 방탄자기계발
노재광
최보규
나다운
방탄 카피 사전
마데카솔 방탄 카피
후시딘 방탄 카피
세상 속 상처
현실 속 상처
"최초"
상처 치료
자기계발서
BOOKK
NAVER 나다운방탄카피
NAVER 최보규

종이책 표지 디자인
Google 자기계발아마존
YouTube 방탄자기계발
명품 자기계발
자기계발 코칭전문가 1
4차 산업 시대에는 명품 인재인
방탄자기계발 전문가 1명이
10만 명의 인생을 변화 시킨다!
방탄자기계발 전문가
최보규 참모총장
방탄 자기계발 창시자
자기계발 7관왕
명품코칭 전문가
BOOKK
NAVER 자기계발코칭전문가
NAVER 최보규

종이책 표지 디자인
Google 자기계발아마존
YouTube 방탄자기계발
나다운 방탄리더십 1
세계 인구 79억 명! 79억 개의 나다운 방탄리더십!
1명의 방탄리더가 10만 명을 먹여 살린다!
[리더십코칭전문가 6단계 시스템]
CEO 필독 도서
세계 최초 방탄리더십
방탄리더 자존감
방탄리더 멘탈
방탄리더 습관
방탄리더 코칭
방탄리더 자기계발
방탄리더 행복
최보규 방탄리더십 창시자
BOOKK
NAVER 나다운방탄리더십
NAVER 최보규

종이책 표지 디자인
Google 자기계발아마존
YouTube 방탄자기계발
★★★★★
세계 최초
나다운
방탄습관블록
최보규 지음
BOOKK
지금까지 알고 있는 습관 공식은 잊어라!
당신이 그토록 찾고 있던 습관 공식!
세상 모든 것이 변해도
나다운 방탄습관블록은 변하지 않는다.
습관 아인슈타인!
★★★★★
"최초"
습관 바이블
NAVER 방탄습관블록
NAVER 최보규

종이책 표지 디자인
Google 자기계발아마존
YouTube 방탄자기계발
1
방탄
리더십
방탄리더십
업데이트!
최보규 방탄리더십 창시자
BOOKK
리더
필독 도서
세계 최초
리더 지침서
세계 최초
방탄리더십
NAVER 방탄리더십
NAVER 최보규

종이책 표지 디자인

Google 자기계발아마존

YouTube 방탄자기계발

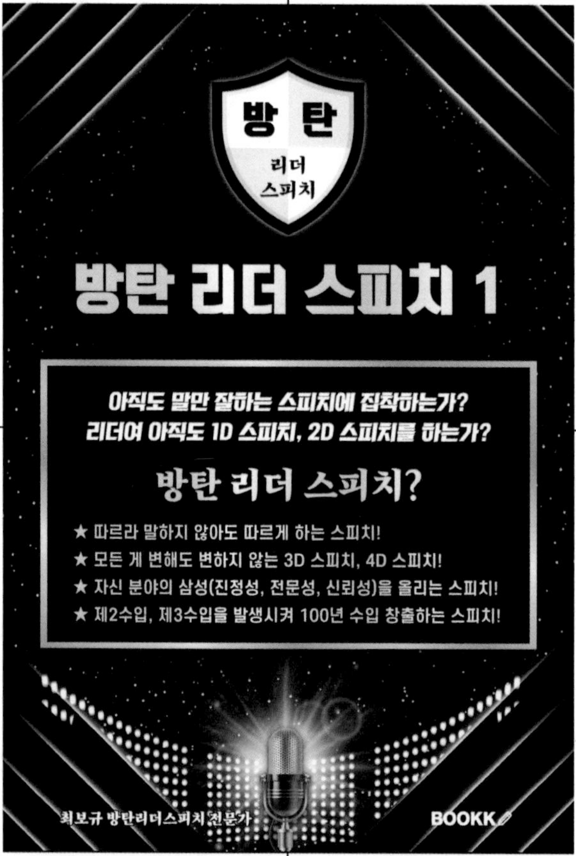

NAVER 방탄리더스피치

NAVER 최보규

종이책 표지 디자인
Google 자기계발아마존
YouTube 방탄자기계발
YouTube
ITube
리더는 유튜브가 아닌
나튜브! 1
나튜브로 월세, 연금성 수입 창출!
온라인 건물주!
"최초" 리더 유튜브 자기계발서
"최초" 나튜브 자기계발서
"최초" 리더 유튜브 사용 설명서
최보규 리더유튜브 코칭전문가
BOOKK
NAVER 나튜브
NAVER 최보규

종이책 표지 디자인
Google 자기계발아마존
YouTube 방탄자기계발
방탄 리더 재테크 1
자고 있는데 돈을 버는 재테크!
여행 중에도 돈이 입금 되는 재테크!
사무실, 직원이 필요 없는 재테크!
언제까지
몸 으로만
일 할 것인가?
최보규 방탄리더재테크 전문가
BOOKK
NAVER 방탄리더재테크
NAVER 최보규

종이책 표지 디자인

Google 자기계발아마존

YouTube 방탄자기계발

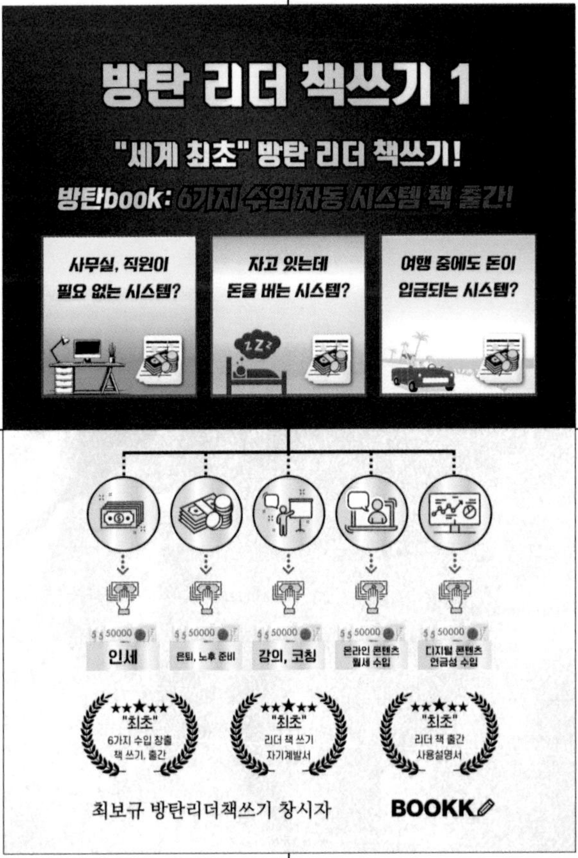

NAVER 방탄리더책쓰기

NAVER 최보규

종이책 표지 디자인
Google 자기계발아마존
YouTube 방탄자기계발
방탄리더
1
우리 리더는
제가 좋은 사람이
되고 싶도록 만들어요!
세계 최초
방탄리더
동기부여
동기부여
최보규 방탄동기부여 전문가
BOOKK
NAVER 방탄리더동기부여
NAVER 최보규

종이책 표지 디자인

Google 자기계발아마존

YouTube 방탄자기계발

NAVER 리더의무교육1

NAVER 최보규

종이책 표지 디자인
Google 자기계발아마존
YouTube 방탄자기계발
방탄 리더 감정컨트롤 1
(리더 스트레스 관리)
회사가 망하지 않으려면
리더 감정컨트롤에 달렸다!
"최초" 리더 감정컨트롤 자기계발서
"최초" 리더 감정컨트롤 지침서
"최초" 리더 감정컨트롤 사용 설명서
최보규 리더마인드 코칭전문가
BOOKK
NAVER 방탄리더감정컨트롤
NAVER 최보규

종이책 표지 디자인
Google 자기계발아마존
YouTube 방탄자기계발
방탄 리더 의무교육 1
직원은 5대 법정의무교육!
리더는 7대 의무교육!
7
대 교육
"최초" 리더 의무교육 자기계발서
"최초" 방탄 리더 자기계발서
"최초" 리더 의무교육 사용 설명서
최보규 리더의무교육 전문가
BOOKK
NAVER 방탄리더의무교육
NAVER 최보규

종이책 표지 디자인
Google 자기계발아마존
YouTube 방탄자기계발
방탄 리더 기본기 1
어떤 분야든 기본기가 없으면
월드클래스가 될 수 없다!
세계 최초 리더 기본기
기본기 사용 설명서
세계 최초 기본기 매뉴얼
최보규 리더기본기 코칭전문가
BOOKK
NAVER 방탄리더기본기
NAVER 최보규

종이책 표지 디자인

Google 자기계발아마존

YouTube 방탄자기계발

NAVER 방탄리더인재양성

NAVER 최보규

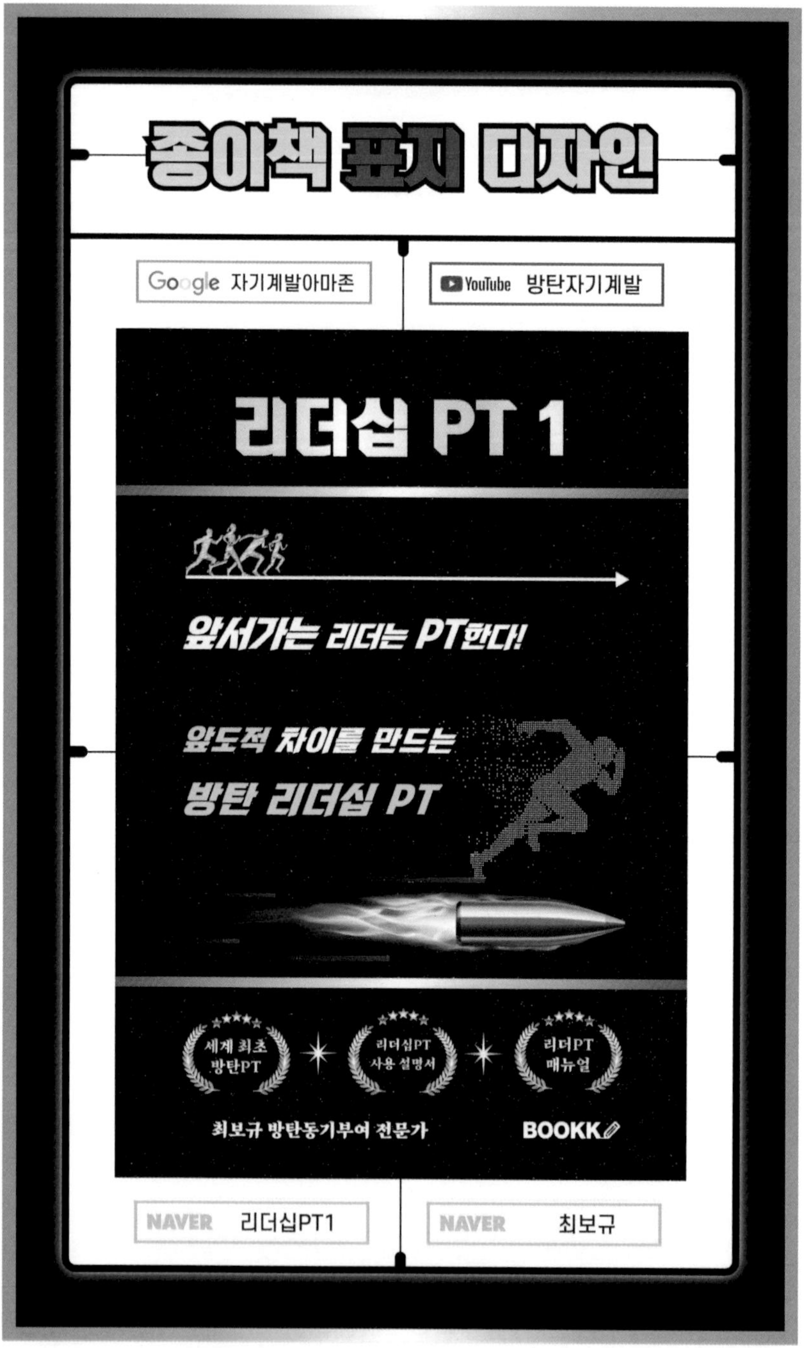
종이책 표지 디자인
Google 자기계발아마존
YouTube 방탄자기계발
리더십 PT 1
앞서가는 리더는 PT한다!
압도적 차이를 만드는
방탄 리더십 PT
세계 최초 방탄PT
리더십PT 사용 설명서
리더PT 매뉴얼
최보규 방탄동기부여 전문가
BOOKK
NAVER 리더십PT1
NAVER 최보규

종이책 표지 디자인

Google 자기계발아마존 | YouTube 방탄자기계발

NAVER 리더십식스팩1 | NAVER 최보규

종이책 표지 디자인
Google 자기계발아마존
YouTube 방탄자기계발
방탄 리더 스토리텔링
(Story Doing 동기부여)
스토리텔링을 통해 스토리두잉을 하지 않으면
스토리는 다 쓰레기 된다!
최보규 방탄동기부여 전문가
BOOKK
NAVER 방탄리더스토리텔링
NAVER 최보규

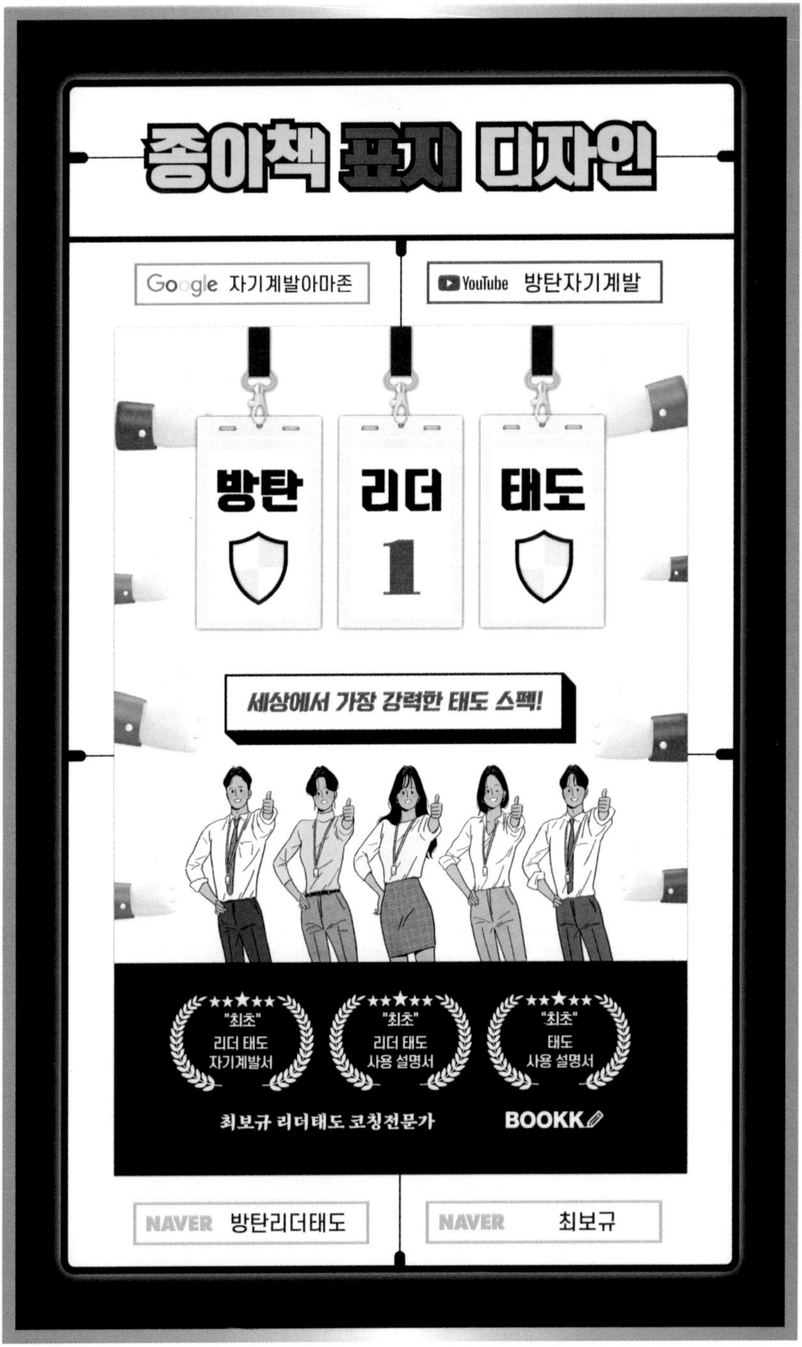

종이책 표지 디자인
Google 자기계발아마존
YouTube 방탄자기계발
방탄
리더
1
태도
세상에서 가장 강력한 태도 스펙!
"최초" 리더 태도 자기계발서
"최초" 리더 태도 사용 설명서
"최초" 태도 사용 설명서
최보규 리더태도 코칭전문가
BOOKK
NAVER 방탄리더태도
NAVER 최보규

종이책 표지 디자인
Google 자기계발아마존
YouTube 방탄자기계발
리더의 방탄 인간관계 1
천재지변 인간관계! 천재일우 인간관계
CLASS 1
CLASS 2
CLASS 3
CLASS 4
CLASS 5
CLASS 6
CLASS 7
"최초" 방탄 인간관계 자기계발서
"최초" 방탄 인간관계 사용 설명서
"최초" 방탄 인간관계 지침서
최보규 방탄인간관계 전문가
BOOKK
NAVER 리더의방탄인간관계
NAVER 최보규

종이책 표지 디자인
Google 자기계발아마존
YouTube 방탄자기계발
리더의 방탄 소통 1
방탄 소통! 방탄 공감! CLASS 7
소통에 답이 있는가? 정답은 답이 아니다.
해결책도 답이 아니다. 공감만이 답이다.
★★★★★
리더
필독 도서
★★★★★
"최초"
방탄 리더 소통
사용 설명서
★★★★★
"최초"
방탄 리더 소통
지침서
최보규 방탄리더소통 전문가
BOOKK
NAVER 리더의방탄소통
NAVER 최보규

종이책 표지 디자인
Google 자기계발아마존
YouTube 방탄자기계발
1조 리더십 강의 1
□□ 리더가 10만 명을 변화 시킨다!
리더 일타강사
강사야 대표 강사
특허청 등록
최보규 리더십 일타강사
BOOKK
NAVER 1조리더십강의
NAVER 최보규

종이책 표지 디자인
Google 자기계발아마존
YouTube 방탄자기계발
300만원
동기부여 강의
동기부여
UP
스마트폰은 사용하지 않아도 배터리가 소모되듯
동기부여 또한 숨만 쉬어도 소모가 된다.
"세계 최초" 동기부여 초고속 충전!
동기부여
일타강사
강사야
대표 강사
특허청
등록
최보규 동기부여 일타강사
BOOKK
NAVER 300만원동기부여강의
NAVER 최보규

종이책 표지 디자인
Google 자기계발아마존
YouTube 방탄자기계발
PPT로 책 출간 1
출판계의 혁신! 6가지 시스템 수익 창출 책 출간!
1조 리더십 강의
"최초" PPT로 책쓰기 사용 설명서
"최초" PPT로 책출간 사용 설명서
"최초" 방탄 책쓰기 지침서
최보규 방탄BOOK 창시자
서윤희 방탄BOOK 전문가
BOOKK
NAVER PPT로책출간
NAVER 최보규

150권 출간 한 책 중에 종이책 앞면 표지 디자인 한 것을 보면서 어떤 생각이 들었는가?

20,000명 심리 상담, 코칭 하면서 쌓인 내공과 종이책 150권, 전자책 250권 총 400권 출간했던 내공으로 당신이 지금 어떤 생각이 들었고 어떤 궁금증이 생기는지 맞혀 보겠다.

"PPT 디자인 수준이 상 → 중 → 하 → 마우(마우스만 움직일 줄 아는 우주 초보)에서 마우라고 했는데... 어떻게 표지 만든 실력이 디자인 전문가 그 이상으로 할 수 있을까? 디자인 전공을 했던 전문가의 수준인데? 마우라는 말 거짓말 아닐까? 진짜 마우 실력으로 저 정도 표지를 만들 수 있는 기술력을 배울 수 있다면 무조건 교육, 코칭 받고 싶다."

어떤가? 속마음이 들켰는가? 필자가 신의 능력이 있는 것은 아니다. 그만큼 내공, 통찰력이 있다는 것이다.

이 책을 보고 있는 사람들 대부분은 일반 사람이 아닐 것이다. PPT와 연관된 사람이거나, 책 쓰기, 책 출간에 관심이 많은 사람이거나, 자신 분야 전문성을 살려 제2수입, 제3수입을 올리고 싶어서 보는 사람들일 것이다.

그래서 자신 있게 이런 말을 하고 싶다. "이 책을 보고 있는 당신은 천재일우(천 년에 한 번 만난다는 뜻으로 좀처럼 만나기 어려운 기회)온 것이니 모든 것을 흡수해라."

책 표지, 책날개 표지 디자인 만들 수 있는 도구들이 많다. 그중에서 무료로 많이 쓰는 것이 미리캔버스, 캔바(Canva)이다. 미리캔버스, 캔바(Canva) 사용 설명서는 네이버에서 검색하면 어마어마하게 많고 마우(마우스만 움직일 줄 아는 우주 초보)도 할 수 있는 수준이다.

필자가 쓰고 있는 프로그램은 망고보드다. 망고보드 프로그램에 들어가서 보면 알겠지만 마우(마우스만 움직일 줄 아는 우주 초보)도 충분히 가능한 프로그램이라는 것이다. 종이책 150권, 전자책 250권 총 400권 책 출간하면서 연관된 모든 디자인들 99%가 망고보드에서 작업을 했다는 것이다.
지금도 필자의 PPT 디자인 수준이 마우(마우스만 움직일 줄 아는 우주 초보)인데도 디자인 전문가 못지않게 책 표지를 디자인 할 수 있었던 것이 쉽게 사용 할 수 있는 망고보드 프로그램이라는 것이다. 다만 무료 버전이 아닌 유료 버전을 사용해야 한다.

무료가 전부 가치가 없는 건 아니지만 극소수 빼고는 무료는 무료만큼의 가치밖에 하지 않는다. 디자인을 할 때 무료 버전을 사용할 수도 있지만 될 수 있으면 사용하면 안 되는 이유가 이미지, 폰트 저작권 문제로 저작권법에 걸려 문제가 생길 수 있기 때문에 망고보드 유료 버전을 사용하는 것이다.

트렌디한 디자인이 필요할땐
망고보드
저작권 걱정 No 다양한 템플릿 제공
매주 새로운 고퀄리티의 템플릿이!
망고보드 1:1 코칭
최보규 망고보드 전문가
010-6578-8295
망고보드
쉽게
따라하기
세상에서 가장 쉬운 디자인!
마우스만 움직일 줄 알면 전문 디자인이 된다!
망고보드 1:1 코칭 한번으로
우주 책임감
150년 a/s, 피드백, 관리! 상담받자!
핵심 팁!

"책 앞면 표지가 책의 전부는 아니지만 때론 책 앞면 표지가 책의 전부가 될 수 있다." 시각적인 것이 그만큼 중요하다는 것이다. 제목이 특별해서 선택하지 않는 한 90%는 책을 선택하고 안 하고는 책 앞면 표지 디자인으로 판단한다고 봐도 무방하다. 그래서 책 앞표지 디자인에 신경을 많이 써야 한다. 다음으로 나오는 책 표지 디자인을 보고 당신은 몇 번을 선택할 것인가?

독자들이 책을 선택할 때 여러 가지를 볼 것이다. 표지, 제목, 목차, 작가, 책 소개 글... 등 이 중에서도 가장 중요한 첫인상을 좌우하는 것은 표지라는 것이다.

표지가 끌려야 제목, 목차, 작가, 책 소개 글... 등 을 본다는 것이다.

♥ 책 표지 디자인을 제대로 하느냐 안 하느냐 차이 비유 설명.

1. 영화로 비유를 하면 2D 영화냐, 4D 영화냐 차이다.

2. 사랑으로 비유를 하면 한 번 만나고 믿음, 신뢰, 사랑 비전 제시 없이 프러포즈하느냐, 1년(4계절을 겪으면서 감정 변화를 적응하는 시기)을 함께 하면서 믿음, 신뢰, 사랑 비전을 주고 프러포즈하느냐 차이다.

3. 결혼으로 비유를 하면 결혼식 하루(30분)를 위해서 신혼집, 스드메에만 집착을 하느냐, 결혼 생활 100년을 위해서 부부행복(남편 13계명, 아내 13계명)학습, 연습, 훈련에 집중하느냐 차이다.

4. 독자들이 이해하는 속도로 비유를 하면 2G 속도, 5G 속도 차이다.

5. 자동차로 비유를 하면 깡통 자동차, 풀 옵션 자동차 차이다.

6. 여자 화장으로 비유를 하면 노 메이크업, 풀 메이크업 차이다.

7. 요리로 비유를 하면 요리 재료인 당근, 양배추, 양파, 대파... 등을 통째로 넣느냐, 먹기 좋게 칼질해서 넣느냐? 차이다.

그만큼 책 표지는 책의 전부가 된다는 것을 명심하자!

지금부터는 출판계 혁신인 6가지 수입 창출을 지속적(100년)으로 할 수 있는 방탄book기술력을 교육, 코칭할 때 망고보드를 활용해서 표지 만드는 방법을 오픈한다.

#. 출간한 책 종이책 150권, 전자책 250권 총 400권 출간 중 5권의 책 표지 디자인 설명을 하겠다.

디자인 마다 디자인 목표, 방향이 다르고 간격이 조금씩 다를 것이다. 똑같이 따라 할 수는 없지만 디자인 콘셉트, 방향을 파악하면 된다.

책 디자인 설명 5가지를 보면 "이런 콘셉트, 흐름으로 책 표지 디자인을 하는구나. 책 표지에서 어떤 의미를 보여 줘야 하는지 감이 온다. 책 표지에서 주인공을 어떻게 부각시켜야 되는지 알겠다."라는 느낌과 자신감이 생길 것이다.

당신에게 망고보드는
천재일우

3.
망고보드에서 표지 앞면 디자인
(설명)

트렌디한 디자인이 필요할땐
망고보드
저작권 걱정 No 다양한 템플릿 제공
매주 새로운 고퀄리티의 템플릿이!
망고보드 1:1 코칭
최보규 망고보드 전문가
010-6578-8295
망고보드 쉽게 따라하기
세상에서 가장 쉬운 디자인!
마우스만 움직일 줄 알면 전문 디자인이 된다!
망고보드 1:1 코칭 한번으로
우주 책임감
150년 a/s, 피드백, 관리! 상담받자!
망고보드 핵심 팁!

종이책 표지 디자인 설명
③ 150PX
⑫ 300만원
동기부여 강의
⑤ 560PX
⑧
동기부여
UP
스마트폰은 사용하지 않아도 배터리가 소모되듯
동기부여 또한 숨만 쉬어도 소모가 된다.
"세계 최초" 동기부여 초고속 충전!
① 100PX
② 100PX
⑬
⑥ 440PX
⑭
⑨
동기부여 일타강사
강사야 대표 강사
특허청 등록
⑦ 215PX
⑩ 최보규 동기부여 일타강사
⑪ BOOKK
④ 120PX

1) 《300만원 동기부여 강의》 책 표지 디자인 설명
- 책 앞면 표지 너비 1540PX * 높이 2160PX
(부크크출판사 A5 규격 148+6(제단 선) * 210+6(제단 선)= 너비 154mm * 높이 216mm)

#. 효율적인 표지 날개, 표지 작업과 전자책(PDF) 표지 작업을 위해 너비, 높이를 픽셀(PX)로 작업했다. 픽셀이 아닌 mm로 작업해도 된다.
#. Pixrl(픽셀): 유튜브 썸네일, 상세페이지, 커뮤니티 게시판 등.
#. mm또는 cm: 명함, 라벨, 액자, 머그컵, 현수막 등.

①번, ②번: 핵심 디자인을 가운데 배치했을 때 좌, 우 여택을 주어 안정적인 시각적 효과를 주기 위한 기본 좌, 우 100PX이다. (디자이너마다 다르니 참고)
③번: 위에서부터 150PX (책의 가장 위쪽과 시작하는 디자인과의 안정적인 시각적 효과를 주기 위한 여유 공간)
④번: 위에서부터 120PX (책의 가장 밑쪽과 저자, 출판사 로고와의 안정적인 시각적 효과를 주기 위한 여유 공간)
⑤번: 위에서부터 520PX (책 제목과 제목의 디자인을 안정적인 시각적 효과를 주기 위한 위치)

⑥번: 밑에서부터 440PX (책의 가치를 어필하기 하고 디자인을 안정적인 시각적 효과를 주기 위한 위치)
⑦번: 밑에서부터 215PX (책의 가치를 어필하기 하고 디자인을 안정적인 시각적 효과를 주기 위한 위치)
⑧번: 핵심 존. 책 표지 디자인에서 주인공이라고 느낄 수 있게 디자인을 해줘야 하는 곳이다. 《300만원 동기부여 강의》 책 제목에서 가장 중요한 콘셉트 디자인이 무엇일 거 같은가? '300만 원? 동기부여? 강의?' 이 3가지를 다 어필할 수 있는 디자인이면 좋다. 그 중에서도 핵심 디자인 콘셉트는 강의다. 강의 콘셉트를 상징하고 어필할 수 있는 빔 프로젝터와 스크린을 활용하여 책을 볼 수 있는 궁금증 유발, 호기심 유발을 할 수 있는 핵심 디자인과 핵심 문구를 만들어야 한다. "기존에 알고 있는 동기부여 책과 차원이 다를 거 같다. 무조건 책 읽어 봐야겠다."라는 느낌이 들 수 있는 핵심 디자인을 해야 한다.
《300만원 동기부여 강의》 이 책에 모든 것이 압축되어 알 수 있는 곳이고 주인공이기에 가장 신경을 써야 한다.

#. 화장으로 비유를 하면 외출할 때 하는 가벼운 화장 기법이 아닌 웨딩 촬영할 때 화장하는 풀메이크업을 해야 된다.

⑨번: 책의 가치, 내공, 값어치를 어필하기 위한 디자인이다. 《300만원 동기부여 강의》 책의 가치, 내공, 값어치가 간접적으로 어필이 되어야 한다. 직접적으로 어필은 책 소개에서 하면 된다.

#. 책의 가치, 내공, 값어치를 어필하는 다른 예시를 참고하자.

동기부여 사용설명서, 직장인 필독 도서, 리더 필독 도서, 동기부여 지침서, 자기계발 지침서, 동기부여 바이블… 등

종이책 표지 디자인 설명
③ 150PX
⑫ 300만원
동기부여 강의
⑤ 560PX
⑧
UP
동기부여
스마트폰은 사용하지 않아도 배터리가 소모되듯
동기부여 또한 숨만 쉬어도 소모가 된다.
"세계 최초" 동기부여 초고속 충전!
① 100PX
② 100PX
⑬
⑥ 440PX
⑭
⑨ 동기부여 일타강사
강사야 대표 강사
특허청 등록
⑦ 215PX
⑩ 최보규 동기부여 일타강사
⑪ BOOKK
④ 120PX

⑩번: 저자 이름. 저자 이름 보다 저자가 어떤 전문가 인지를 알리는 명칭을 쓰면 더 효과적이다.

⑪번: 출판사 로고. 부크크 홈페이지에서 '자주 묻는 질문' 으로 들어가면 도서를 클릭하면 로고 파일 다운로드가 있다.

⑫번: 책 제목. ⑧번 핵심 존 디자인 좌우 사이즈를 경계로 제목을 디자인한다. 핵심 존 디자인 다음으로 잘 보여야 할 것이 제목 디자인이다. 제목이 주인공일 거 같지만 표지 전체적인 디자인에서 핵심 디자인 어필이 되어야만 제목이 가지고 있는 뜻의 의미가 극대화 된다. (핵심 존 좌우 간격 260PX, 디자인마다 가격이 다를 수 있다.)

한번 생각해 보자. 제목이 화려한데 핵심 디자인이 제목을 받쳐주지 못하면 책 제목의 화려함은 장점이 아닌 단점이 되어 버린다. 지금 시대 평균적인 사람들의 시각적인 심리를 잘 읽어야 한다. 하루가 멀다 하고 대중매체, 유튜브, 인스타그램, SNS 등으로 인해서 어마어마하게 화려한 영상, 이미지를 보고 있다. 수준이 높아진 시각적인 심리 상황에서 일단 디자인이 화려하지 않으면 어필이 되지 않는다는 것이다. 다음으로 나오는 《300만원 동기부여 강의》 책 표지의 화려하지 않는 책 표지 버전과 화려한 책 표지 버전 비교한 것을 보면 좀 더 이해가 될 것이다.

표지 비교

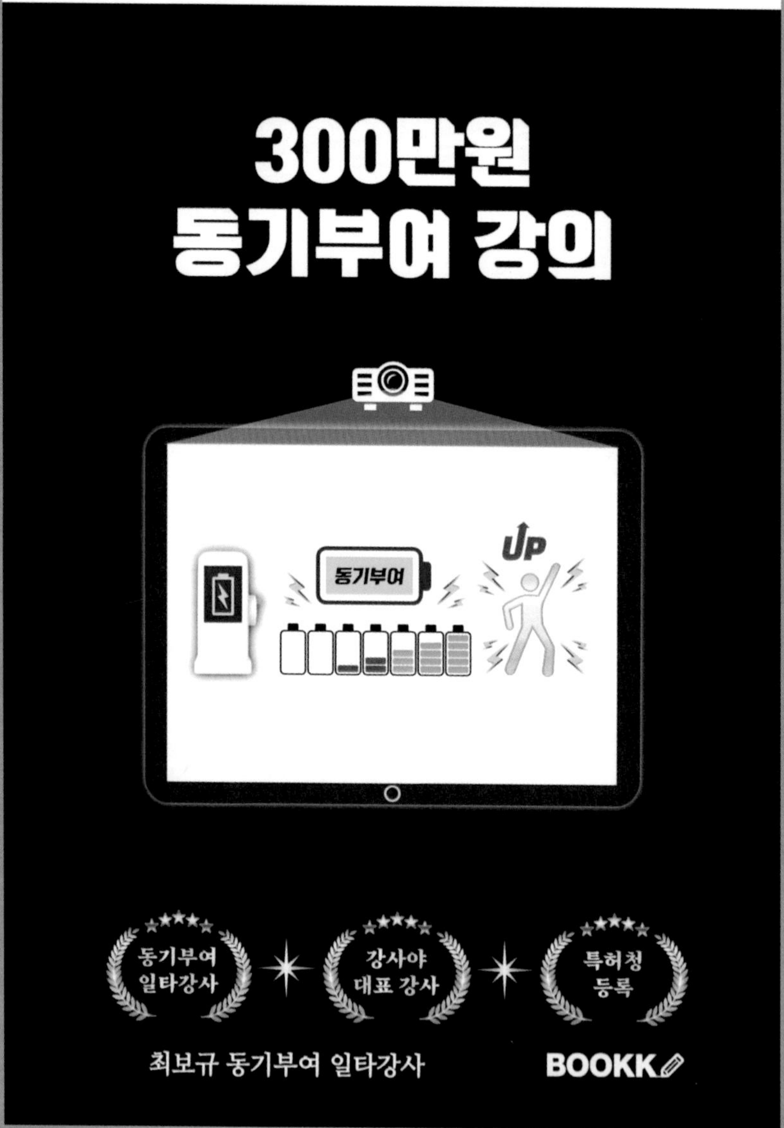
300만원
동기부여 강의
동기부여
UP
동기부여 일타강사
강사야 대표 강사
특허청 등록
최보규 동기부여 일타강사
BOOKK

표지 비교

300만원
동기부여 강의
동기부여
UP
스마트폰은 사용하지 않아도 배터리가 소모되듯
동기부여 또한 숨만 쉬어도 소모가 된다.
"세계 최초" 동기부여 초고속 충전!
동기부여 일타강사
강사야 대표 강사
특허청 등록
최보규 동기부여 일타강사
BOOKK

종이책 표지 디자인 설명

③ 150PX
⑫ 300만원
동기부여 강의
⑤ 560PX
⑧
UP
동기부여
스마트폰은 사용하지 않아도 배터리가 소모되듯
동기부여 또한 숨만 쉬어도 소모가 된다.
"세계 최초" 동기부여 초고속 충전!
① 100PX
② 100PX
⑥ 440PX
⑭ ⑨ 동기부여 일타강사
강사야 대표 강사
특허청 등록
⑦ 215PX
⑩ 최보규 동기부여 일타강사
⑪ BOOKK
④ 120PX

⑬번: 배경 이미지. 《300만원 동기부여 강의》 책은 강사가 강의하는 콘셉트이기에 강단을 화려하면서도 은은한 무대 사진으로 디자인했다. 배경 이미지가 화려해버리면 주인공이 죽는다. 배경 이미지는 제목 다음으로 조연배우다.
⑭번: 바탕색. 배경 이미지와 어울릴 수 있는 검정색으로 했다.

종이책 표지 디자인 설명인 ①번 ~ ⑭번까지 설명 내용을 보니 어떤 생각이 드는가?

20,000명 심리 상담, 코칭 하면서 쌓인 내공과 종이책 150권, 전자책 250권 총 400권 출간했던 내공으로 당신이 지금 어떤 생각이 들었고 어떤 궁금증이 생기는지 알아맞혀 보겠다.

"시중에 있는 책 쓰기 교육, 책 출간 코칭을 수십 번 듣고 시중에 있는 책 쓰기 책, 책 출간 책 수십 권을 봤는데... 그 누구 하나 설명하지 않고 설명 못하는 디테일한 책 표지 설명 내용을 보니 대단하다는 생각도 들고 존경하는 마음이 든다. 초보자 눈높이에서 세심하게 설명하는 마음에 책 표지 만드는 초보자라면 감동을 받을 수 있을 거 같다. 표지 디자인 마우(마우스만 움직일 줄 아는 우주 초보) 실력으로 이렇게 디테일하게 설명을 할 수 있다니 진짜 대단하다. 역시 종이책 150권, 전자책 250권 총 400권 출간한 내공 장난이 아니다. 이렇게 디테일하게 설명을 해줘도 디자인이라는 것을 처음 접하는 사람들은 힘들 거 같은데... ①번 ~ ⑭번 너무 할게 많은 거 아닌가? 뭐든 쉬운 게 없네... 좀 더 쉽게 하는 방법 없을까?"

사람마다 느끼는 것이 다를 수 있다. 하지만 20,000명 심리 상담, 코칭과 150권 출간 경력에서 나오는 평균치 데이터는 무시는 할 수 없을 것이다.

필자가 출판계 혁신인 방탄book기술력(6가지 수입 창출 시스템)100년 활용 할 수 있는 기술력)교육, 코칭에서 늘 하는 말이 있다. "아무리 쉬운 것도 해보지 않으면 우주에서 가장 어려운 것이고 알고 나면 우주에서 가장 쉬운 것이 됩니다."

필자가 2,000권 책을 보았다. 그 중에서 시중에 있는 책 쓰기, 책 출간 책을 30권 정도 봤고 책을 책 쓰기 교육, 강의 책 출간 교육, 강의를 몇 십 개를 보았다. 그 교육, 과정을 욕하는 것이 아니다. 오해하지 말고 들었으면 한다. 필자 기준에서 말을 하는 것이니 참고하길 바란다.

필자가 책 쓰기, 책 출간 교육, 강의를 듣고 봤던 내용들이 너무 어려웠다. 책 쓰기만, 책 출간만 하면 끝나는 방법들이 대부분이었고 힘들게 출간한 책이 3개월 후에라면 냄비 받침대가 되어 쓰레기 취급 당하는 상황들을 보면서 결심, 다짐의 결과가 지금 이 책을 쓰고 있는 것이다.

감히 말하건대 대한민국, 세계에서 책 쓰기, 책 출간을 이렇게까지 디테일하게 알려주는 사람은 없고 책도 없다. 계속 언급하지만 지금 이 책을 보고 있는 당신은 인생에 천재일우(천 년에 한 번 만난다는 뜻으로 좀처럼 만나기 어려운 기회) 온 것이니 조상에서 감사하고 "내가 인생을 지금까지 잘 살아서 이런 기회가 오는구나!"라는 마음으로 제대로 배우길 바란다.

다른 책 쓰기, 책 출간 책들은 독학할 수 없는 내용들이다. 왜 어려운지 아는가? 독학할 수 있는 디테일한 설명이 없는 것도 있지만 가장 중요한 것은 책 쓰기, 책 출간을 독학했더라도 초보자 눈높이에 맞춰서 설명을 못한다는 것이다. 처음 배울 때 어렵고 힘든 점을 극복하고 능숙하게 할 수 있는 수준까지 올라가면 초심을 까먹는다는 것이다. 한마디로 망각을 한다. 그래서 초보자 눈높이에서 책 쓰기, 책 출간 교육, 강의가 아닌 "이 정도는 알겠지"라는 태도로 올챙이 시절 기억을 못하는 교육자, 코칭 전문가들이 대부분이다. 스포츠계 격언 중에 '스타플레이어 출신은 명감독이 될 수 없다'라는 말이 있다. 상대방 눈높이가 아닌 자신이 했던 방법으로 고집부리고 알려주면서 "이런 것도 못하나?"라는 태도로 알려주기 때문이다.

다음 내용은 자신 생각을 바꾸기 위해서, 상대방 생각을 바꾸기 위해서 교육, 코칭 할 때 무엇을 먼저 해야 되는지 깨닫게 해주는 스토리텔링이다.

- 자신 생각을 바꾸는 데는 책 1톤이 필요하고 상대방 생각을 바꾸는 데는 책 2톤이 필요하다!
다음은 리더가 상대방을 변화시키기 위해 가장 먼저 해야 할 것이 무엇인지 깨닫게 해주는 스토리텔링이다.

스포츠계 격언 중에 '스타플레이어 출신은 명감독이 될 수 없다'라는 말이 있다. 선수 시절의 성과와 명성에 비해 감독으로서 기대에 못 미쳤던 사례가 많았던 것을 두고 하는 말이다. 물론 최근에는 스타플레이어 출신이면서도 선수 시절 못지않은 성과와 명성을 나타내는 감독들의 사례가 점차 늘어나는 추세지만, 여전히 많은 사람들에게는 '스타플레이어 출신은 감독으로 성공하기 어렵다'라는 인식이 자리 잡고 있는 것도 사실이다. "아니 이 플레이가 왜 안 되지?" 많은 이들은 스타플레이어 출신의 지도자가 성공하기 힘든 이유를 '자신의 성공 경험을 근거로 선수들의 플레이를 바라보고 그 결과를 이해할 수 없기' 때문이라고 한다. 즉, 선수들을 공감하지 못한다는 것이다. 그러나 필자는 스타플레이어 출신의 감독들이 성공하지 못하는 이유가 '공감 능력의 결여'보다 '감독 역할에 대한 명확한 인식과 충분한 준비 없이' 리더로 선임되었기 때문이라고 생각한다. 선수 시절에는 자신에게 주어진 역할만 수행하면 되었지만, 감독은 선수 개개인과 팀 전체를 모두 바라보고 그들이 성공을 거둘 수 있도록 노력해야 하는 완전히 다른 성격의 역할이기 때문이다. 그럼에도 불구하고 여전히 스포츠 현장에서는 스타플레이어 출신의 성공을 막연하게 기대하면서 쉽게 감독 역할을 맡기는 경우도 빈번하게 일어나고 있다. 그래서 스포츠계 일각에서는 이러한 시행착오를 줄이기 위해 스타플레이어 출신의 지도자를 바로 감독의 포지션에 올려놓기보다 다양한 현장 경험을 쌓게 한 후 감독으로 선임하는 움직임도 나타나고 있다.

많은 기업과 조직에서도 리더를 선임할 때, 후보자의 과거 성공 경험만을 근거로 역할을 부여하는 사례들을 쉽게 볼 수 있다. 물론 과거의 성공 경험은 리더로 성장하는 과정에서 중요한 역할을 해줄 것이다. 하지만 실무자와 리더는 완전히 다른 차원의 영역이다. 성공한 실무자가 리더로서도 성공할 것이라고 막연하게 기대하는 것은 마치 '잭팟이 터지길 기대하며 나의 전 재산을 베팅하는 위험한 도박'과도 같다. 리더 후보자가 다양한 학습과 경험을 통해 실무자로서 성공했듯이, 성공하는 리더로 성장하기 위해서도 충분한 학습과 경험이 필요하다. 리더가 갖춰야 할 폭넓은 시각과 리더십은 하루아침에 생겨나지 않는다. 우리 조직에 역량 있는 리더들이 많아지길 원한다면 '누구에게 리더를 맡길까?'라고 고민하기 이전에 '성공하는 리더가 되게 하려면 어떤 학습과 경험을 제공할 것인가?'에 대해 진지하게 고민하고 실천하는 것이 무엇보다 우선되는 과제라고 생각한다.

<브론치 라운드에 지혜, 구선생>

2002년 한일 월드컵이 끝나고 이영표 선수의 인터뷰 중 한 장면이다. "우리나라가 세계 4강이라는 놀라운 성적을 거두었습니다. 계속 좋은 성적을 유지하려면 어떤 선수가 필요할까요?" 아나운서의 질문을 받은 이영표 선수는 잠시 머뭇거리더니 이렇게 답했다. "우리나라에는 좋은 선수가 아니라 좋은 선수를 길러내는 코치가 더 필요합니다." 축구를 잘하는 것과 축구를 잘하도록 가르치는 것은 다르다는 말이다.

《강의력》

자신의 생각을 바꾸는 데는 책 1톤이 필요하고 리더 코칭 전문가는 의뢰자, 가족, 아내, 남편, 자녀, 직원, 조직체원...등 생각을 바꿔주기 위해서는 책 2톤의 내공이 있어야 한다. 책 1권 평균 500g(평균 250페이지)이다. 1,000권이면 500kg, 2,000권이면 1톤이다. 책 1,000권을 읽으면 자신의 가치관이 바뀌고 책 2,000권을 읽으면 상대방을 바꿀 수 있다는 것이다. 그만큼 리더 코칭 전문가는 상대방을 바꿀 수 있는 내공이 있어야만 하는 것이다.

20,000명 심리 상담, 코칭 하면서 뼈저리게 느끼는 것이 있다. 사람이 30년을 살면 바뀌지 않는 가치관이 생기고 60년을 살면 신도 바꿀 수 없는 가치관이 형성된다는 것을 알게 되었다. 하나 더 추가를 하면 한 분야 20년 이상 경력이 있는 사람은 100년의 경력을 갖고 있는 경력자도 바꿀 수 없는 가치관이 생긴다.
그래서 리더 코칭 전문가는 자신 분야를 학습, 연습, 훈련하는 것은 당연한 것이고 불특정 다수의 사람들, 상황들 코칭을 하기 위해서는 평균적으로 사람들이 걱정, 고민들을 학습, 연습, 훈련을 꾸준히 해야 한다.

《리더의 방탄 인간관계 7》

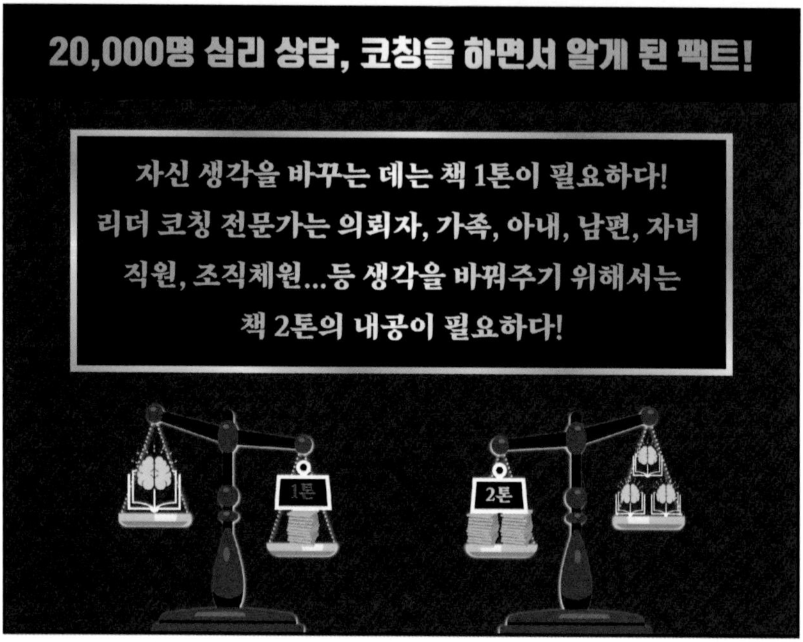

자신 생각을 바꾸기 위해서는 책 1톤(2,000권), 상대방 생각을 바꾸기 위해서는 책 2톤(4,000권)의 내공이 있어야만 가능하듯이 시중에 책 쓰기, 출간 교육, 코칭 전문가들 중 내공 있는 사람들이 없어서 책 쓰기, 책 출간 책을 보더라도 독학하기 힘들다는 것이다. 내공이 있더라도 따라 하기 쉽게 사용 설명서를 만들어 놓은 사람들이 없다.

《PPT로 책출간》 책을 통해서 말하고 싶은 것은 책 쓰기, 책 출간을 순서대로 따라 한다면 얼마든지 독학으로 가능하다고 말을 하고 싶다는 것이다.

그럼에도 불구하고 "최보규 방탄book 코칭전문가님 저는 멘토도 되어주고 150년 a/s, 피드백, 관리 받을 수 있는 방탄book기술력을 배우고 싶습니다."**라는 마음이 드는 사람들은 상담 받길 바란다.**

"당신은 제가 좋은 사람이 되고 싶도록 만들어라"라는 마음을 들게 하는 멘토가 되어 주겠다.

이제 부터는 종이책 표지 디자인 설명 2), 3), 4), 5)를 설명하겠다. 가장 빠르게 배우는 방법은 만들어 놓은 것을 계속 반복적으로 익숙해질 때까지 보고 경험하며 실습을 해보는 것이다. 종이책 표지 디자인 설명 2), 3), 4), 5)는 어떤 콘셉트로 만들어 졌는지 집중해서 보길 바란다.

종이책 표지 디자인 설명

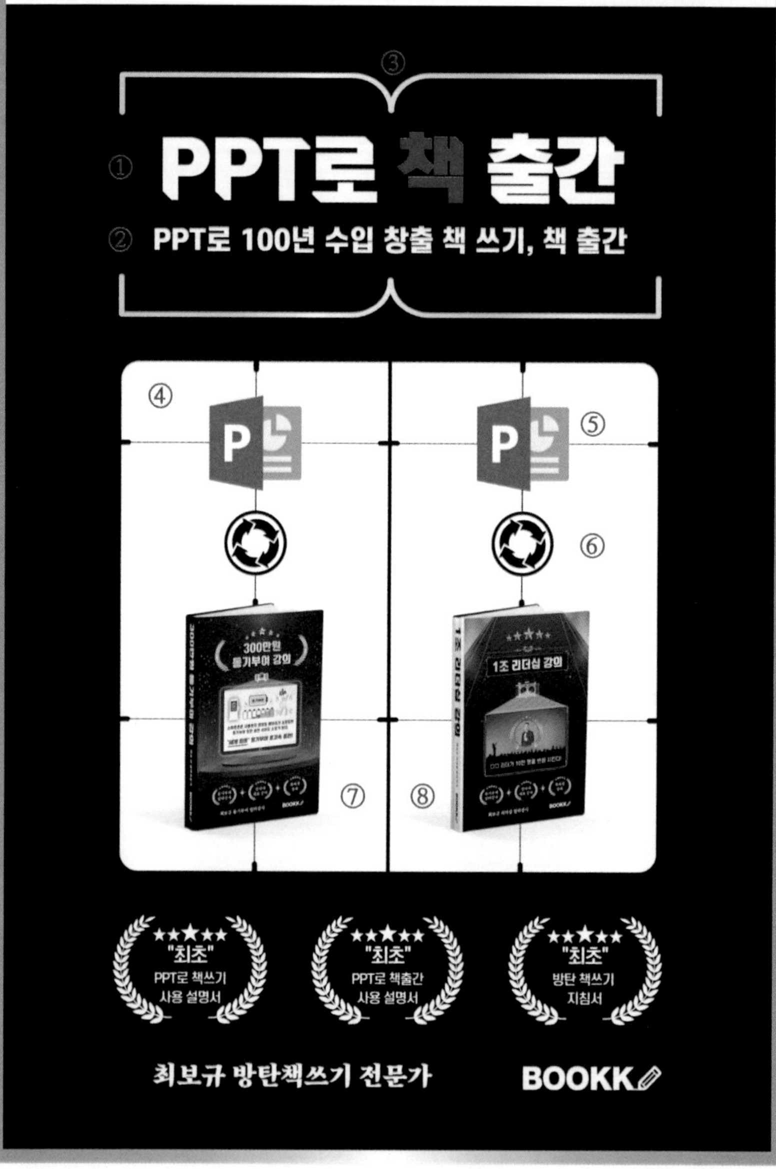
③
① PPT로 책 출간
② PPT로 100년 수입 창출 책 쓰기, 책 출간
④
⑤
⑥
300만원 동기부여 강의
1조 리더십 강의
⑦
⑧
"최초" PPT로 책쓰기 사용 설명서
"최초" PPT로 책출간 사용 설명서
"최초" 방탄 책쓰기 지침서
최보규 방탄책쓰기 전문가
BOOKK

2)《PPT로 책 출간》 책 표지 디자인 설명

#. 좌, 우, 위, 아래 기본 픽셀(PX) 사이즈는 1표지 제작과 동일하기에 1표지 설명을 참고하길 바라고 빠른 설명을 위해 표지 콘셉트 설명만 하겠다.

①번: 책 제목. 처음 생각한 제목이 강의 교안으로 책 쓰기고 책 출간이었다. 강의 교안으로 해버리면 강사 직업만 한정 짓는 거 같아서 PPT를 활용하는 모든 사람들이 볼 수 있는 제목을 만들기 위해서 책 제목을 《PPT로 책 출간》으로 정했다. 책 제목에서 책이 추구하는 목표, 방향, 대상, 연령층, 직업군... 등 한마디로 타겟층이 명확하게 나와야 한다. 가장 중요한 것은 시중에 나와 있는 책 제목과 차별화가 있어야 되고 끌려야 한다. 책 표지 디자인의 차별화가 70% 라면 책 제목 차별화는 30%다.

자신이 책 쓰고 싶은 분야 책 제목을 포털 사이트에서 검색을 해보고 책 쓰고 싶은 분야 책을 100권 정도 보면 어떤 제목들이 많고 디자인은 어떤지 평균적인 감이 올 것이다. 그런 다음 자신이 쓰고 싶어 하는 책 분야 현실 트랜드, 타겟층의 심리까지 어느 정도 파악해서 책 제목을 만든다면 차별화된 책 제목이 나올 것이다.

②번: 부제목. 말 그대로 부제목이다. 제목을 뒷받침해서 책 목표, 방향을 좀 더 구체적으로 알려주는 부제목이다. 사람의 심리는 글보다는 시각적인 이미지가 더 강력하게 반응하지만 이미지를 폭발 시키는 것이 압축적인 핵심 문구다. 제목만 있을 때와 부제목이 같이 있을 때 차이는 개미와 코끼리 차이다. 부제목이 책의 전부를 설명하는 경우도 있다.

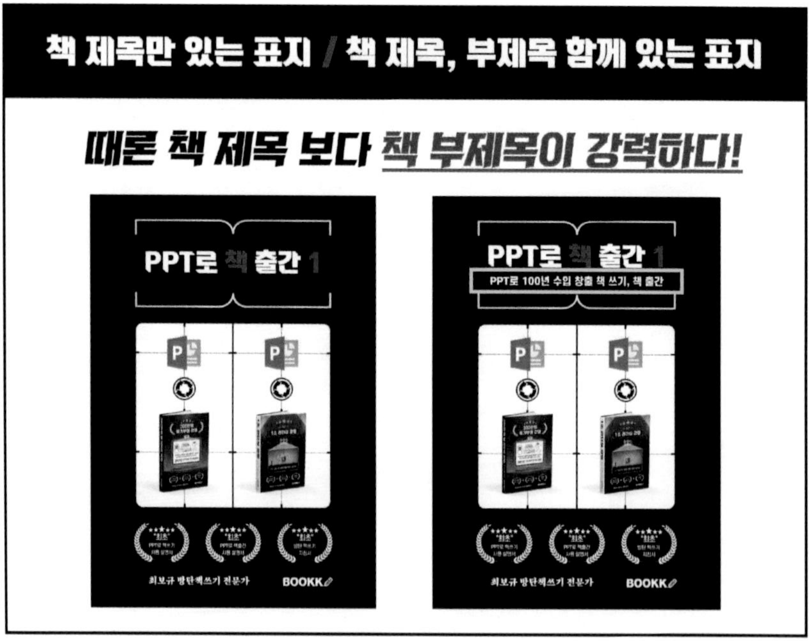

③번: 책 제목 디자인. 말 그대로 제목을 강조하기 위한 디자인이다. 직사각형으로 디자인할 수 있었지만 책 제목이 책 출간이기에 책을 상징하는 디자인으로 했다. 직사각형과 책을 연상시키는 디자인 차이점이 확연히 보일 것이다. 어떤 옷을 입느냐에 따라 스타일이 살고 죽듯 책 제모 디자인 또한 어떻게 하느냐에 따라 제목을 살리고 죽인다.

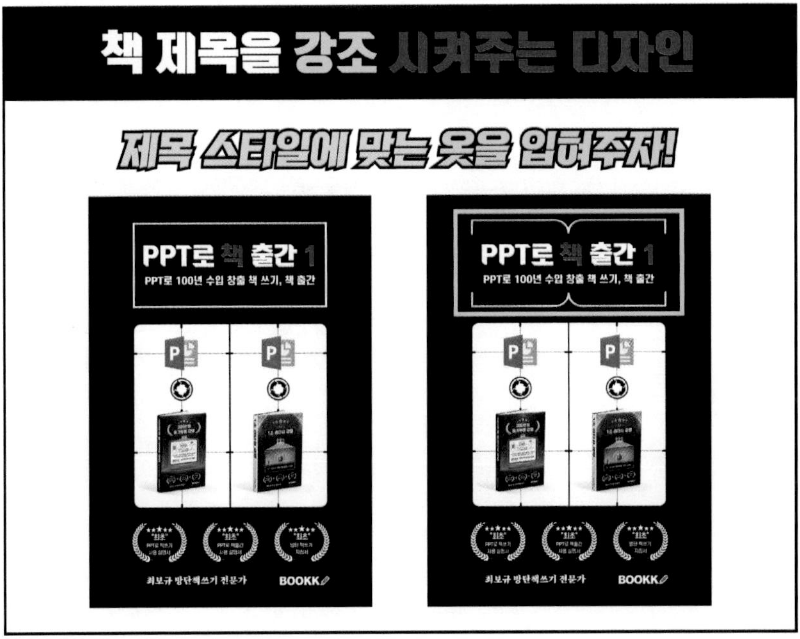

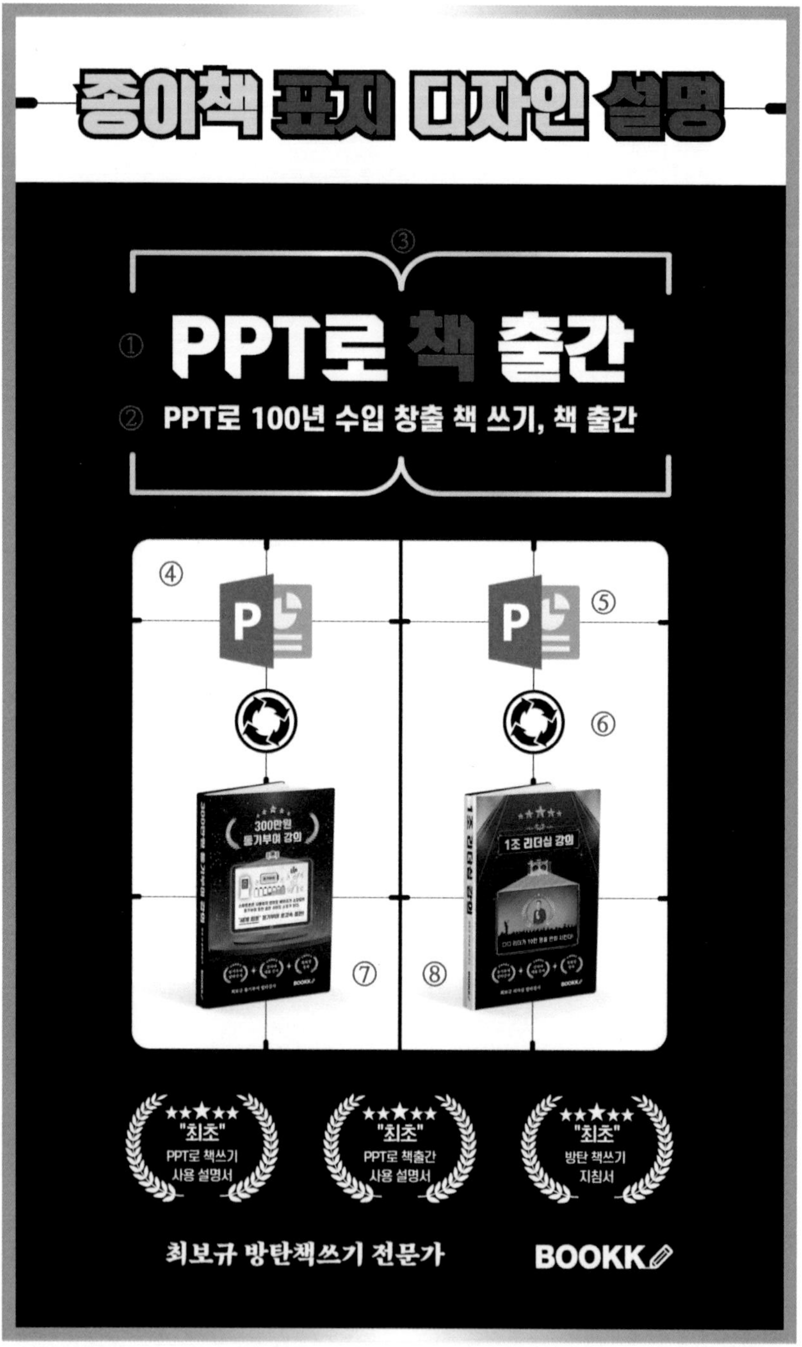
종이책 표지 디자인 설명
③
① PPT로 책 출간
② PPT로 100년 수입 창출 책 쓰기, 책 출간
④
⑤
⑥
300만원 동기부여 강의
1조 리더십 강의
⑦
⑧
★★★★★ "최초" PPT로 책쓰기 사용 설명서
★★★★★ "최초" PPT로 책출간 사용 설명서
★★★★★ "최초" 방탄 책쓰기 지침서
최보규 방탄책쓰기 전문가
BOOKK

④번: 책 표지 디자인 핵심 존. 책 제목이 느낄 수 있는 이미지를 만들어야 한다. 단순하게 PPT 아이콘 이미지에 책 이미지로 넣는다면 뻔한 책 표지가 되어 버린다. 좀더 차별화를 주고 시중에 있는 다른 책과 다른 콘셉트를 주기 위해서 로봇 조립 장감만을 사면 부품들이 하나씩 연결 되어 있는 디자인을 토대로 책 아이콘이 아닌 진짜 책을 출간한 책 이미지를 넣었다.

결과물(출간한 책)을 넣어야만 더 삼성(진정성, 전문성, 신뢰성)이 어필 된다.

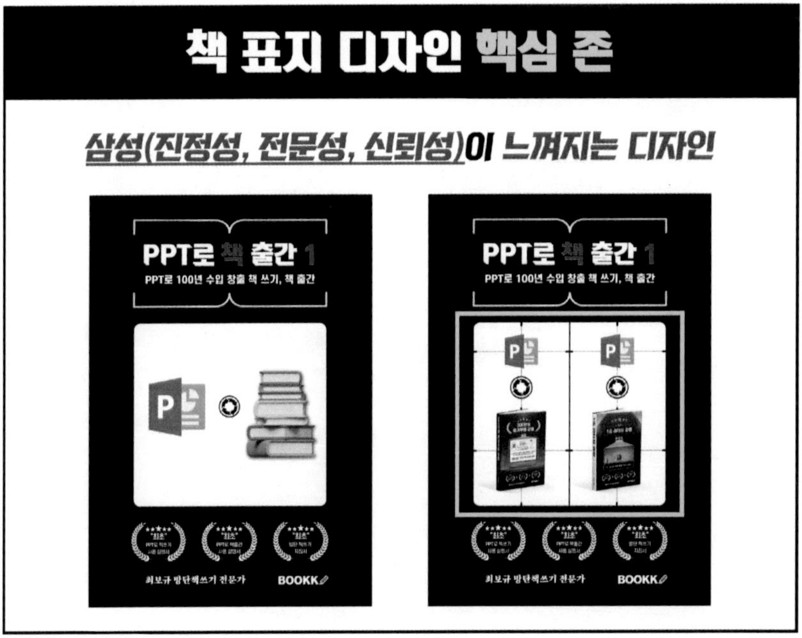

종이책 표지 디자인 설명
③
① PPT로 책 출간
② PPT로 100년 수입 창출 책 쓰기, 책 출간
④
⑤
⑥
300만원 동기부여 강의
1조 리더십 강의
⑦
⑧
"최초" PPT로 책쓰기 사용 설명서
"최초" PPT로 책출간 사용 설명서
"최초" 방탄 책쓰기 지침서
최보규 방탄책쓰기 전문가
BOOKK

⑤번: PPT 아이콘. 책 제목에 맞는 직관적인 아이콘으로 디자인했다.

⑥번: 바꾸는 아이콘. PPT를 책으로 바꾸는 아이콘이나 업데이트 아이콘으로 디자인했다.

⑦번, ⑧번: 3D입체 표지. PPT를 책으로 출간한 책 3D 입체 표지로 디자인했다. 결과물을 만들어 냈던 실제 이미지로 디자인하면 삼성(진정성, 전문성, 신뢰성)이 어필된다.

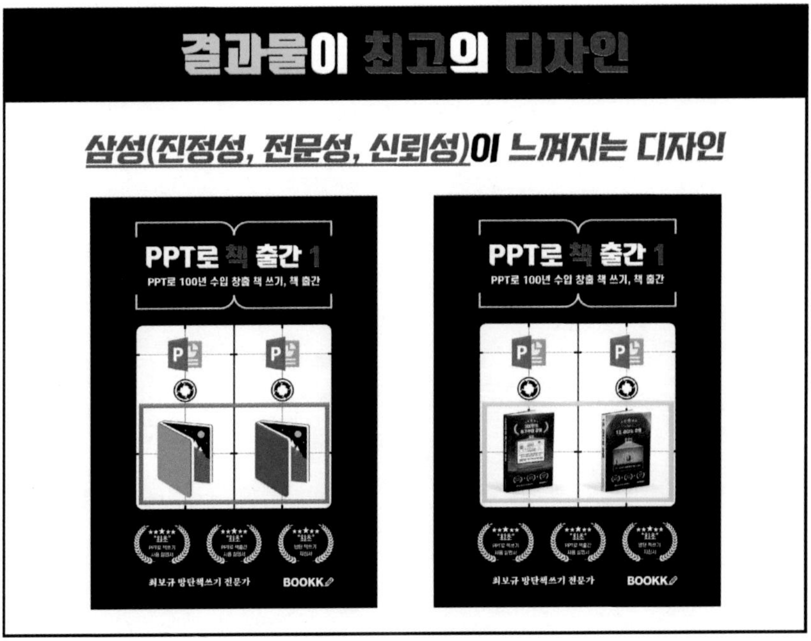

종이책 표지 디자인 설명

⑦
① 리더십 PT 1
③
앞서가는 리더는 PT한다!
② 압도적 차이를 만드는
방탄 리더십 PT
④
⑦
⑤
⑥
세계 최초 방탄PT
리더십PT 사용 설명서
리더PT 매뉴얼
최보규 방탄동기부여 전문가
BOOKK

3)《리더십 PT 1》책 표지 디자인 설명

#. 좌, 우, 위, 아래 기본 픽셀(PX) 사이즈는 1표지 제작과 동일하기에 1표지 설명을 참고. 빠른 설명을 위해 표지 콘셉트 설명만 하겠다.

①번: 책 제목. 《리더십 PT 1》책은 1 ~ 11까지 있다. 책 제목을 짓기 위해 많은 검색과 생각을 했고 뻔한 리더십 책 제목이 아니라 책이 추구하는 목표, 방향을 정확하게 들어낼 수 있는 책 제목을 짓기 위해 고민을 많이 했었다. 1,000년이 흘러도 제목이 시대에 뒤처지는 않는 책 제목을 만들고 싶었다.

어느 날 방탄book기술력 코칭을 하러 가는 중에 헬스 PT 전단지가 보였다. 순간 피카츄 100만 볼트 전기가 머리를 스쳤다.

헬스 PT 뜻은 Personal Training의 약자로 1대1 맞춤형 트레이닝이다. 사람마다 다른 체형별 운동을 지도해 목적과 목표에 맞는 운동 방법을 제시하는 것이다. 한마디로 체계적인 시스템 안에서 운동을 헬스 전문가에게 배우는 것이다.

리더십도 마찬가지다. 위치가 사람을 만드는 것이 아니

라 리더십을 체계적으로 시스템 안에서 학습, 연습, 훈련하지 않으면 위치가 사람을 망치고 인재를 떠나게 하여 회사를 망하게 한다. 그래서 세계 최초로 리더십 PT 시스템을 만들었다. 특허청 등록으로 검증된 리더십 PT 11권 책 제목이 되었다.

특허청 등록
최보규 리더동기부여 코칭전문가
등록 번호: 제 40-2128786 호
"세계 최초 리더십 PT"
리더십 PT 1
리더십 PT 2
리더 자존감 PT 3
리더 멘탈 PT 4
리더 습관 PT 5
리더 행복 PT 6
리더 자기계발 PT 7
리더 자기계발 PT 8
리더 자기계발 PT 9
리더 코칭 PT 10
방 탄
리더십
리더 코칭 PT 11

세상에는 3부류에

리더십 PT를 배우는 사람이 있다!

리포자(리더십 PT 포기자)

수많은 리더십 PT 영상, 글... 등을 봤지만 전혀 동기부여가 되지 않아 리더십 PT를 포기한 사람.

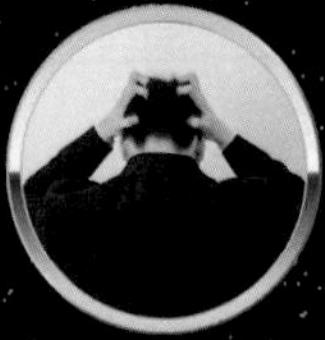

리포 예정자

수많은 리더십 PT 독서, 자격증, 교육, 코칭을 받지만 그때뿐이고 시간, 돈 낭비만 하는 사람.

NAVER 방탄리더십

리케시(리더십 PT 케어 시스템)

리더십 PT 시스템 안에서 리더십 PT 주치의에게 150년 a/s, 피드백, 관리 받으면서 자신 분야 변화, 성장을 초고속으로 준비 하는 사람.

쉬운 것도 모르면
우주에서 가장 어려운 것이 되고
알고 나면
우주에서 가장 쉬운 것이 된다.
80억 분의 1 검증된 전문가
(종이책 150권, 전자책 250권 총 400권 출간)
"우주 최초 우주 책임감!"
150년 a/s, 관리, 피드백
방탄book기술력 코칭
150년 a/s, 관리, 피드백 받으세요!
저거다! 방탄book기술력
Google 자기계발아마존
YouTube 방탄자기계발
NAVER 방탄book출판사
NAVER 최보규

종이책 표지 디자인 설명

⑦
① 리더십 PT 1
③
앞서가는 리더는 PT한다!
② 압도적 차이를 만드는
방탄 리더십 PT
④
⑦
⑤
⑥
세계 최초 방탄PT
리더십PT 사용 설명서
리더PT 매뉴얼
최보규 방탄동기부여 전문가
BOOKK

②번: 부제목. 제목을 뒷받침해서 책 목표, 방향을 좀 더 구체적으로 알려주는 부제목이다. 20,000명 심리 상담, 코칭 하면서 알게 된 것은 대부분 사람들은 '차별화를 주기 위해서 힘써야 된다.'라고 알고 있다. 차별화보다 더 강력한 것이 어떤 걸까? 생각과 고민을 하던 중 우주에서 가장 사랑하는 아내가 '압도적 차이'라는 말을 하는 것이었다. 순간 피카츄 200만 볼트 전기가 머리를 스쳤다. 그래서 압도적 차이를 만드는 방탄 리더십 PT라는 부제목을 만들었다. 방탄리더십이 추구하는 목표, 방향이 강력하게 전달되는 문구를 만들어서 존경하는 아내에게 늘 감사한다.

③번: 책 제목 디자인. 제목의 날개를 달아주는 디자인이다. 헬스는 누구나 하지만 헬스 PT는 아무나 받지 않듯이 리더십은 누구나 있지만 리더십 PT는 아무나 받지 않는다는 의미가 담겨있는 이미지다. ④번, ⑤번 책 표지 핵심 이미지를 뒷받침해주는 이미지다.

④번, ⑤번: 책 표지 핵심 이미지. 부 제목인 압도적 차이를 만드는 방탄 리더십 PT를 상징하며 리더십 PT 책 전체 디자인을 한방에 느끼게 해줄 수 있는 역동적이고 강력함을 느끼게 해주는 불꽃 총알 디자인이다.
"이 책을 보면 리더십 PT 받으면 나도 기존에 있는 리

더보다 앞서가는 리더가 될 수 있겠다."라는 메시지를 주는 디자인이다.

⑥번: 책 타이틀. 책의 가치, 내공, 값어치를 어필하기 위한 디자인이다. 세계 최초 방탄 PT, 리더십 PT 사용설명서, 리더 PT 매뉴얼.

#. 책의 가치, 내공, 값어치를 어필하는 다른 예시) 동기부여 사용설명서, 직장인 필독 도서, 리더 필독 도서, 동기부여 지침서, 자기계발 지침서, 동기부여 바이블... 등

⑦번: 바탕 이미지. 리더십 PT를 받으면 리더의 가능성은 무한하다는 것을 어필하기 위한 우주와 별빛이 있는 이미지 디자인.

20,000명 심리 상담, 코칭으로 알게 된 사람들이 바라는 6가지 시스템!

1

커피숍에서 지인과 대화 중에도 돈이 입금되는 시스템?

2

자고 있는데 돈을 버는 시스템?

3

여행 중에도 돈이 입금되는 시스템?

4

사무실, 직원이 필요 없는 시스템?

5

건물주처럼 월세가 입금되는 시스템?

6

집에서 댕댕이와 휴식하고 있는데 돈이 입금되는 시스템?

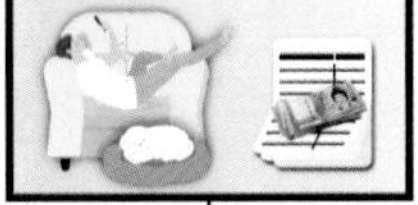

세계 최초! 출판계의 혁신!
돈이 들어오는 6가지 시스템을 가능하게 하는 것이

방탄book기술력!

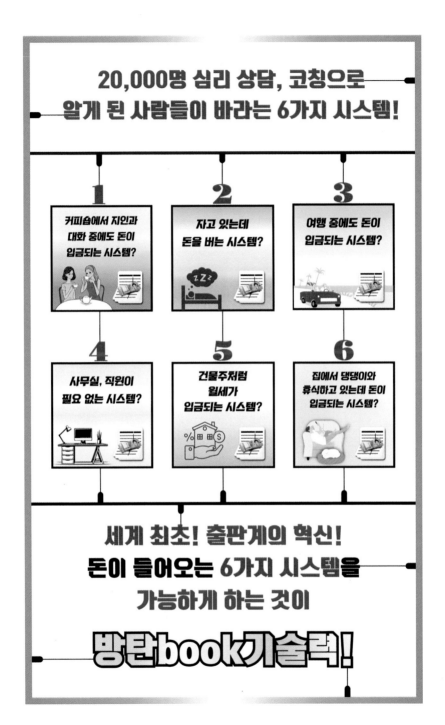

종이책 표지 디자인 설명

②
세계 최초
나다운
① 방탄습관블록
④
⑥
최보규 지음
BOOKK
지금까지 알고 있는 습관 공식은 잊어라!
당신이 그토록 찾고 있던 습관 공식!
세상 모든 것이 변해도 ③
나다운 방탄습관블록은 변하지 않는다.
습관 아인슈타인!
"최초"
습관 바이블
⑤
⑦

4)《나다운 방탄습관블록》 책 표지 디자인 설명

#. 좌, 우, 위, 아래 기본 픽셀(PX) 사이즈는 1표지 제작과 동일하기에 1표지 설명을 참고. 빠른 설명을 위해 표지 콘셉트 설명만 하겠다.

①번: 책 제목. 《나다운 방탄습관블록》 책은 필자가 어떤 사람인지, 앞으로 어떻게 살아갈지 알게 해주는 책이다. 보통 사람들의 자서전과 차원이 다른 책이다.《나다운 방탄습관블록》 책 구성이 몸 습관블록 쌓기, 머리 습관블록 쌓기, 마음 습관블록 쌓기로 되어 있다.

습관의 본질과 381가지 몸, 머리, 마음 습관을 만들면서 깨달은 것이 있다. 습관을 만드는 것보다 중요한 것이 가지고 있는 좋은 습관들을 지키는 것이 시작이 되어야만 좋은 습관들을 레고 블록처럼 쌓을 수 있다는 것을 알았다.

이런 깨달음으로 습관 책을 집필하면서 처음에는 책 제목을 나다운 습관으로 만들었다. 최보규 방탄book 코칭 전문가의 첫 번째 멘토인 우주에서 가장 사랑하는 아내와 습관 책에 대해서 대화를 하는 중에 아내가 하는 말이 “습관을 보호하는 게 먼저면 방탄 케이스가 스마트폰을 보호해 주듯 방탄 습관이 되어야겠네? 제목을 나다운 방탄습관블록이 어울릴 거 같은데?"라는 말에 순간 피카츄 300만 볼트 전기가 머리를 스쳤다. 45년간 381가지 습관을 통해 습관의 본질과 몸 습관블록 쌓기, 머리 습관블록 쌓기, 마음 습관블록 쌓기를 한 문장으로 압축해서 말할 수 있게 해주는 것이《나다운 방탄습관블록》책 제목이었다.

그때를 회상하면 장기, 바둑을 둘 때 훈수하는 사람(훈수도 내공이 있어야 한다)이 더 잘 두듯 옆에서 조언해주는 사람의 힘이 얼마나 대단한지를 새삼 느꼈던 상황이었다. 책 쓰기, 책 출간에 직접적으로 눈을 뜨게 한 책이《나다운 방탄습관블록》책 출간이었다.《나다운 방탄습관블록》책으로 인해 종이책 150권, 전자책 250권 총 400권 출간할 수 있었다고 감히 말하고 싶다.

②번: 책 제목 디자인. 세계 최초라고 하면 사람들이 물어 본다. "진짜 세계 최초로 만든 거 맞냐고? 그걸 어떻게 알 수 있냐고? 세계 최초를 너무 남발하는 거 아니냐고?" 왜 자신 있게 세계 최초라고 말을 하는지 아는가? 세계 최초인지 아닌지 어떻게 알 수 있을까? 검색을 해서 알 수 있을까? 아니다.

세계 인구 80억 명이다. 사람의 지문이 같은 사람이 없듯이 나다움 또한 같은 사람이 없다는 것이다. 한마디로 나답게 만들면 세계 최초가 되는 것이고 세계에서 똑같은 것이 나올 수가 없다는 것이다.

백 번, 천 번 양보해서 설령 책 제목이 똑같은 게 있을 수 있지만 책 내용은 나답게, 최보규답게 집필했기 때문에 세계 최초가 되는 것이고 우주에서 유일한 것이 되는 것이다. 이제 이해가 되는가? 그래서 제목을 뒷받침 해주는 '세계 최초'라는 디자인을 한 것이다.

③번: 책 핵심 문구. 책 핵심 디자인도 있지만 책 핵심 문구도 있다. 이미지를 부연 설명해 주는 것이 텍스트다. 이미지를 극대화해 주는 것이 핵심 문구다. 뻔하고 식상한 핵심 문구가 아니라 "우와! 이건 뭐지? 처음 듣는 말인데... 기존에 알고 있는 내용에서 볼 수 없는 문구인데... 보고 싶게 만드는 문구다."라는 책 핵심 디자인으로 부족했던 2%를 핵심 문구로 100%를 채워야 한다. 다음으로 나오는 2% 부족한 문구, 100%를 채워주는 문구의 비교 이미지를 보자.

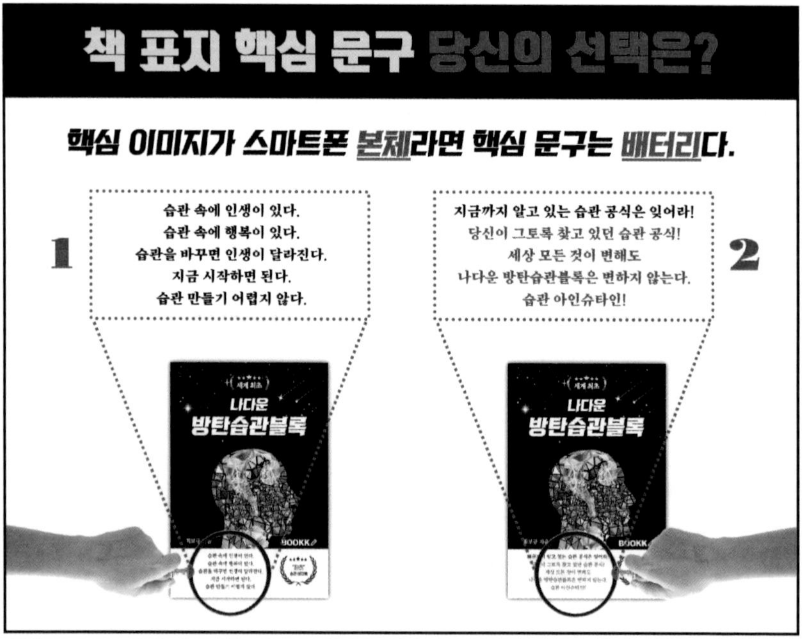
책 표지 핵심 문구 당신의 선택은?
핵심 이미지가 스마트폰 본체라면 핵심 문구는 배터리다.
1
습관 속에 인생이 있다.
습관 속에 행복이 있다.
습관을 바꾸면 인생이 달라진다.
지금 시작하면 된다.
습관 만들기 어렵지 않다.
2
지금까지 알고 있는 습관 공식은 잊어라!
당신이 그토록 찾고 있던 습관 공식!
세상 모든 것이 변해도
나다운 방탄습관블록은 변하지 않는다.
습관 아인슈타인!
나다운
방탄습관블록
BOOKK
나다운
방탄습관블록
BOOKK

종이책 표지 디자인 설명

②
★★★★★
세계 최초
나다운
① 방탄습관블록
④
⑥
최보규 지음
BOOKK
지금까지 알고 있는 습관 공식은 잊어라!
당신이 그토록 찾고 있던 습관 공식!
세상 모든 것이 변해도 ③
나다운 방탄습관블록은 변하지 않는다.
습관 아인슈타인!
⑦
★★★★★
"최초"
습관 바이블
⑤

④번: 책 표지 핵심 이미지. 《나다운 방탄습관블록》 책 본질인 "만들었던 좋은 습관을 보호하고 앞으로 만들고 싶은 습관을 만들었을 때 외부로부터 만든 습관을 보호할 수 있어야 한다."라고 했다. 보호하고 방어할 수 있는 단단함을 어필할 수 있는 콘셉트로 디자인을 하고 싶었다.
사람의 모든 것은 뇌에서 시작하기에 머리(뇌)를 단단하게 표현 할 수 있고 단단함의 상징인 화려한 다이아몬드를 연상하게 하는 이미지 디자인을 선택했다. 그리고 이미지에 물음표가 있다. 물음표의 의미는 나다운 습관을 만들어 가기 위해서 끊임없이 의문점을 가지고 학습, 연습, 훈련을 해야 한다는 의미다.

⑤번: 책 타이틀. bible뜻은 어떤 분야에서 지침이 될 만큼 권위가 있는 책이라는 의미다. 습관분야 베스트셀러, 45년 간 습관 381가지 만듦, 20,000명 심리 상담, 코칭 경력, 2,000권 독서, 책 종이책 150권, 전자책 250권 총 400권 출간 경력으로 만들었기에 습관 바이블이라고 디자인 했다.
⑥번: 바탕 이미지. 자신은, 나다움은 우주에 한명 뿐이라는 의미로 디자인 했다.
⑦번: 바탕 경계 이미지. 책 핵심 문구를 어필하기 위한 경계 이미지로 디자인 했다.

종이책 표지 디자인 설명

방탄리더
①
1
②
우리 리더는
제가 좋은 사람이
되고 싶도록 만들어요!
세계 최초
방탄리더
동기부여
③
④
⑤
동기부여
최보규 방탄동기부여 전문가
BOOKK

5)《방탄 리더 동기부여 1》 책 표지 디자인 설명

#. 좌, 우, 위, 아래 기본 픽셀(PX) 사이즈는 1표지 제작과 동일하기에 1표지 설명을 참고. 빠른 설명을 위해 표지 콘셉트 설명만 하겠다.

①번: 책 제목. 일반 사람에게도 동기부여가 필요하지만 리더에게는 일반 사람들과 다른 동기부여가 필요하다. 리더 자신이 동기부여를 하지 못하는데 자신을 따르는 사람을 어떻게 동기부여를 시키겠는가? 지금 시대는 위치가 사람을 만드는 것보다 위치가 사람을 망치는 경우가 더 많다. "옷걸이가 걸쳐지는 옷들이 자신인 마냥 착각하는 리더"라는 태도로 리더 위치에서 주어진 타이틀, 벼슬, 권력이 영원할 것이라는 착각 속에 산다.

리더의 자만심, 권위주의, 꼰대심(리더병)으로 부터 자신의 리더십을 보호을 하기 위한 방향 제시와 세상, 현실, 주위 사람들의 참견으로부터 휩쓸리지 않는 통찰력을 향상시키는 내용이기에 책 제목을 방탄 리더 동기부여로 정했다.

②번: 부제목. "우리 리더는 제가 좋은 사람이 되고 싶도록 만들어요!" 이 말은 리더가 자신을 따르는 사람들 동기부여 시켜주는 가장 강력한 동기부여다. "우리 리더

는 제가 좋은 사람이 되고 싶도록 만들어요!" 이 말을 듣기 위한 리더 동기부여 책이다.

"우리 리더는 제가 좋은 사람이 되고 싶도록 만들어요!" 이 말속에 담겨 있는 의미가 많다. 10,000개 중에 10개만 알려주겠다.

1. "들어라 말하지 않아도 듣게 한다."
2. "따르라 말하지 않아도 따르게 한다."
3. "믿어라 말하지 않아도 믿게 한다."
4. "해라가 아니라 함께 하자"
5. "우리 리더와 100년 함께 하고 싶다."
6. "리더에게 도움이 되는 사람이 되기 위해 성장해야겠다."
7. "우리 리더는 삼성(진정성, 전문성, 신뢰성)이 있다."
9. "나 자신은 못 믿겠는데 나를 믿어주는 리더가 있어서 자신감이 생긴다. 리더와 함께라면 나도 성공할 수 있을 거 같다."
10. "나도 누군가에 '우리 리더는 제가 좋은 사람이 되고 싶도록 만들어요.'라는 듣기 위해 내 위치에서 최선을 다해야겠다."

③번: 책 표지 핵심 이미지. 계단은 계기, 동기부여, 멘토를 의미한다. 계기가 있어야 인생 한 단계 도약하고

동기부여가 되어야 한 단계 변화하며 멘토로 인해서 한 단계 성장한다. 여기에서 가장 중요한 것은 멘토다. 멘토는 비대면 멘토, 대면 멘토로 나누어진다. 비대면 멘토는 책, 동기부여 영상이 있고 대면 대면 멘토는 강사, 교육자, 코칭 전문가가 있다. 책 표지 이미지에서 계단을 오르는 사람은 목표, 꿈을 이루기 위해서는 멘토에게 동기부여를 받아야만 한 계단씩 오를 수 있다는 의미이다. 계단 정상에 또 다른 이미지에 계단 시작은 멘토에게 동기부여로 인해 꿈, 목표를 이룬 뒤 또 다른 계단(성공한 인생)을 오르기 위한 동기부여를 해야 된다는 의미다. 꿈, 목표를 이루었다고 끝이 아니라는 의미며 멘토의 동기부여를 어떻게 받느냐에 따라서 인생이 달라진다는 책 표지 핵심 이미지에 의미다.

멘토의 동기부여를 받지 못하면 삶의 신호와 소음 구분이 힘들어진다. 신호는 자신에게 배움, 변화, 성장에 도움이 되는 것이고 소음은 자신 배움, 변화, 성장을 방해한다. 인생을 살면서 가장 큰 신호, 소음을 주는 것이 사람이다. 신호를 주는 사람, 소음을 주는 사람이 있다.

방탄 리더 동기부여가 인생의 신호를 주는 사람, 소음을 주는 사람을 구분하게 해준다.

④번: 책 타이틀. 방탄 리더 동기부여는 대한민국 최초, 세계 최초이다.

⑤번: 바탕 이미지. 검은색 바탕에 진한 핑크색 점으로 이루어진 디자인은 모든 것들은 작은 점에서 시작한다는 의미다. 앞이 깜깜한 인생에서 사소한 동기부여가 누적이 되어 인생을 밝게 한다는 의미다.

최보규 천재일우 멘토
천재일우 멘토 코칭전문가

"당신은 제가 좋은 사람이 되고 싶도록 만들어요!" 라는
마음을 들게 하여 실천하게 만드는
천재일우 멘토가 되어 주겠습니다.
잘난 멘토가 아닌 진실한 멘토가 되어 주겠습니다.
대단한 멘토가 아닌 좋은 멘토가 되어 주겠습니다.
멋진 멘토가 아닌 따뜻한 멘토가 되어 주겠습니다.
유명한 멘토가 아닌 필요한 멘토가 되어 주겠습니다.

천재일우 멘토 코칭전문가 최보규

당신에게 망고보드는

천재일우

4.

3D 입체 표지 디자인 샘플

3D 입체 표지 디자인

Google 자기계발아마존

YouTube 방탄자기계발

NAVER 행복히어로

NAVER 최보규

3D 입체 표지 디자인

Google 자기계발아마존

YouTube 방탄자기계발

NAVER 방탄자존감명언

NAVER 최보규

3D 입체 표지 디자인

Google 자기계발아마존

YouTube 방탄자기계발

NAVER 방탄자존감명언

NAVER 최보규

3D 입체 표지 디자인

Google 자기계발아마존

YouTube 방탄자기계발

나다운 강사 1
강사 내비게이션
최보규 지음
대한민국 최초 '강의, 강사 전문서적'
나다운 사관학교 참모총장의 강사 내비게이션
명강사, 스타 강사, 1억 연봉 프로 강사는 잊어라!
나의 꿈은 '나다운 강사'다!
좋은땅

NAVER 나다운강사1

NAVER 최보규

3D 입체 표지 디자인

Google 자기계발아마존

YouTube 방탄자기계발

나다운 강사 2
강사 사용 설명서
최보규 지음
대한민국 최초 '강의, 강사 전문서적'
강사료, 강의 내공, 강사 스킬, 강사 행복, 강사 수명…
강사의 모든 것을 결정짓는 것,
강사 멘탈!
좋은땅

NAVER 나다운강사2

NAVER 최보규

3D 입체 표지 디자인

Google 자기계발아마존

YouTube 방탄자기계발

NAVER 나다운방탄카피

NAVER 최보규

3D 입체 표지 디자인

Google 자기계발아마존

YouTube 방탄자기계발

NAVER 자기계발코칭전문가

NAVER 최보규

3D 입체 표지 디자인

Google 자기계발아마존

YouTube 방탄자기계발

NAVER 나다운방탄리더십

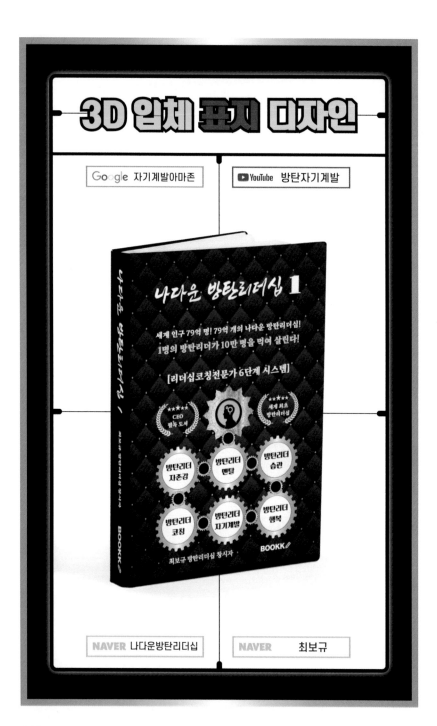

NAVER 최보규

3D 입체 표지 디자인

Google 자기계발아마존

YouTube 방탄자기계발

세계 최초
나다운
방탄습관블록
BOOKK
최보규 지음
지금까지 알고 있는 습관 공식은 잊어라!
당신이 그토록 찾고 있던 습관 공식!
세상 모든 것이 변해도
나다운 방탄습관블록은 변하지 않는다.
습관 아인슈타인!
"최초"
습관 바이블
나다운 방탄습관블록
최보규 지음
BOOKK

NAVER 방탄습관블록

NAVER 최보규

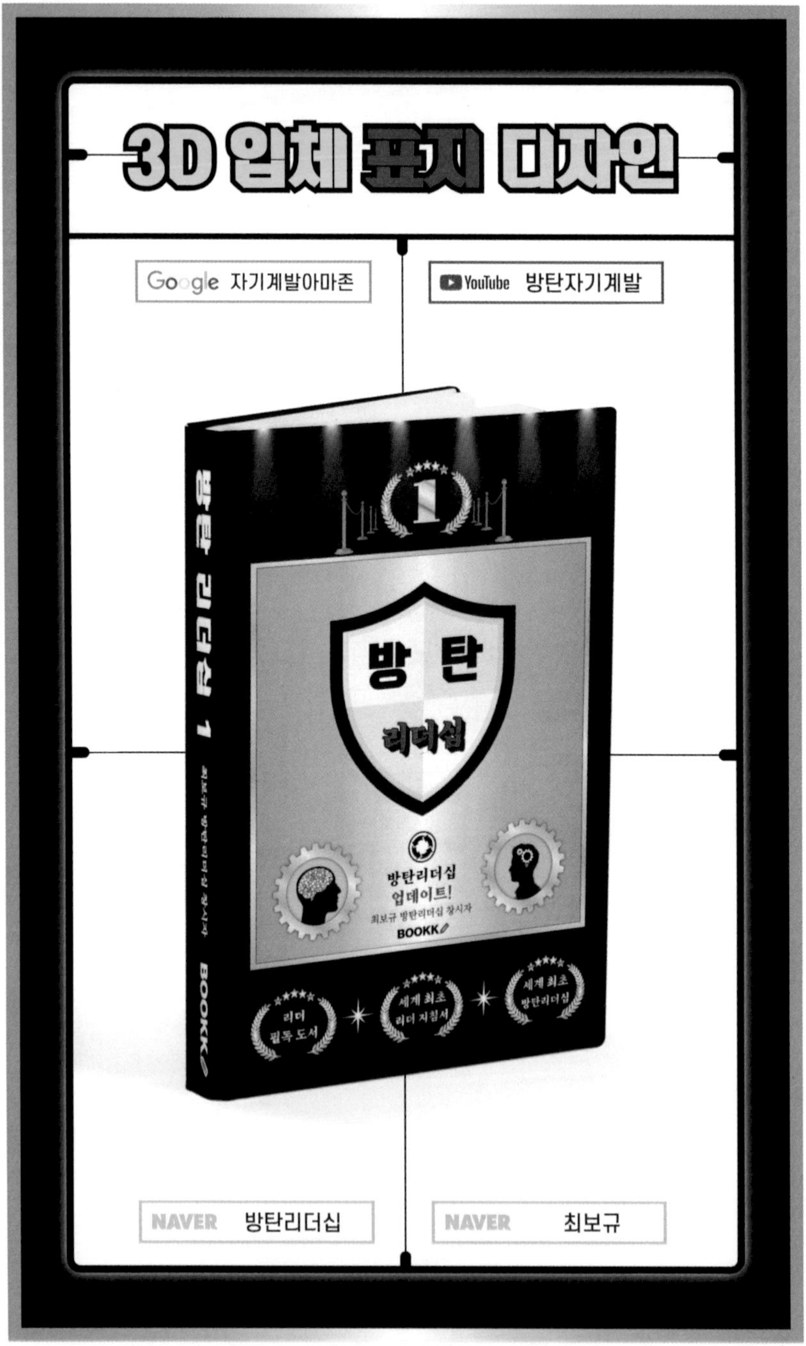
3D 입체 표지 디자인
Google 자기계발아마존
YouTube 방탄자기계발
방탄 리더십 1
최보규 방탄리더십 창시자
BOOKK
1
방탄
리더십
방탄리더십
업데이트!
최보규 방탄리더십 창시자
BOOKK
리더 필독 도서
세계 최초 리더 지침서
세계 최초 방탄리더십
NAVER 방탄리더십
NAVER 최보규

3D 입체 표지 디자인

Google 자기계발아마존

YouTube 방탄자기계발

NAVER 방탄리더스피치

NAVER 최보규

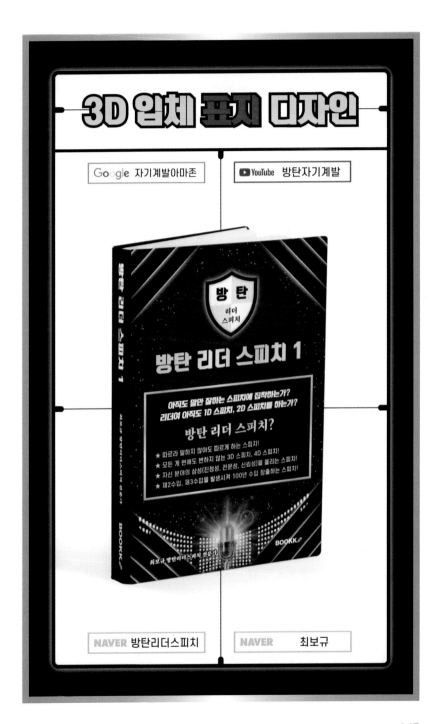

3D 입체 표지 디자인

Google 자기계발아마존

YouTube 방탄자기계발

NAVER 나튜브

NAVER 최보규

3D 입체 표지 디자인

Google 자기계발아마존

YouTube 방탄자기계발

NAVER 방탄리더재테크

NAVER 최보규

3D 입체 표지 디자인

Google 자기계발아마존

YouTube 방탄자기계발

NAVER 방탄리더책쓰기

NAVER 최보규

3D 입체 표지 디자인

Google 자기계발아마존

YouTube 방탄자기계발

NAVER 방탄리더동기부여

NAVER 최보규

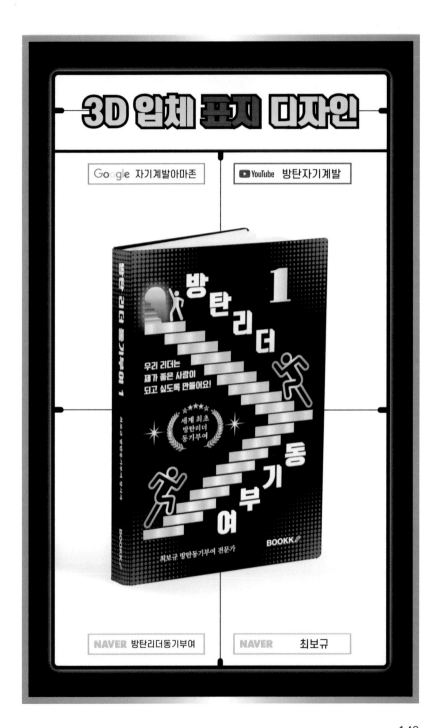

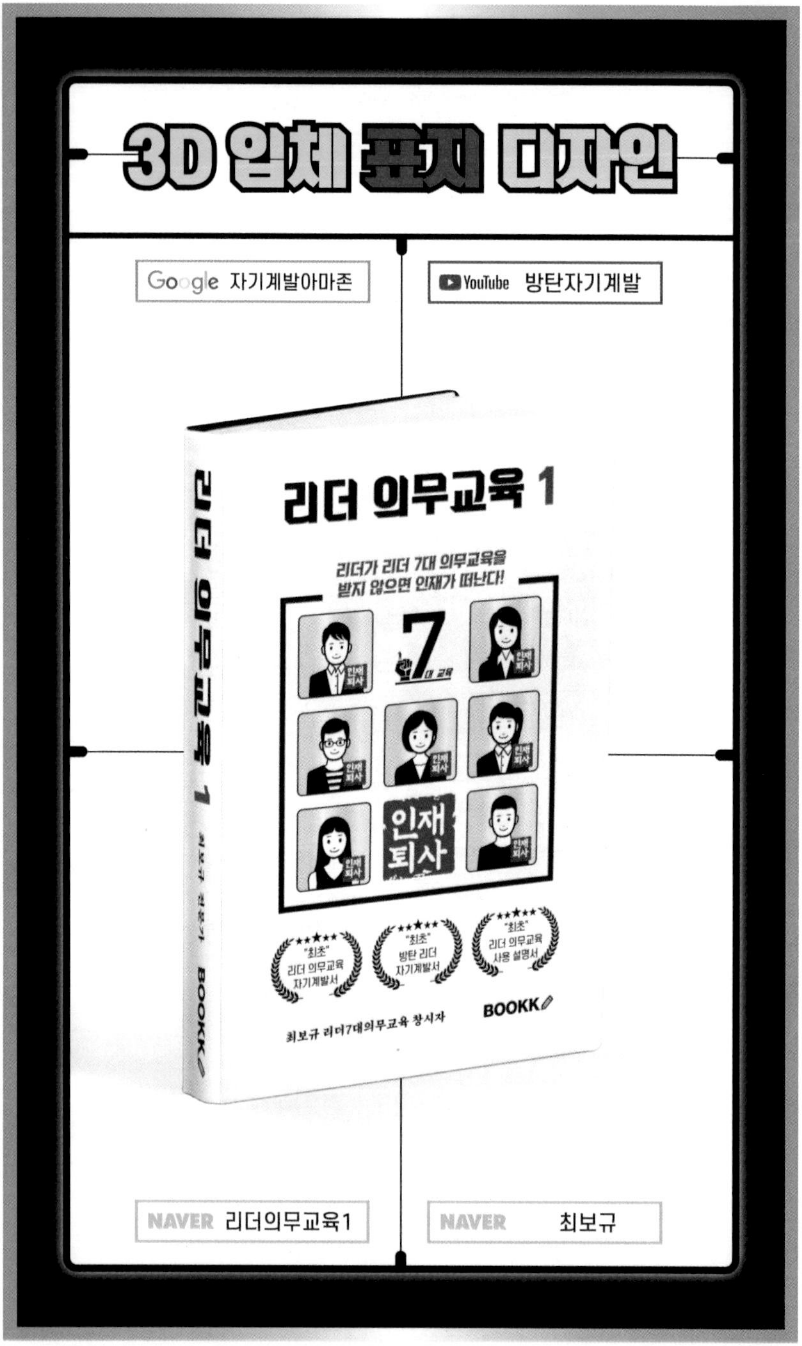
3D 입체 표지 디자인
Google 자기계발아마존
YouTube 방탄자기계발
리더 의무교육 1
리더가 리더 7대 의무교육을
받지 않으면 인재가 떠난다!
7 대 교육
인재 퇴사
"최초"
리더 의무교육
자기계발서
"최초"
방탄 리더
자기계발서
"최초"
리더 의무교육
사용 설명서
BOOKK
최보규 리더7대의무교육 창시자
NAVER 리더의무교육1
NAVER 최보규

3D 입체 표지 디자인

Google 자기계발아마존

YouTube 방탄자기계발

NAVER 방탄리더감정컨트롤

NAVER 최보규

3D 입체 표지 디자인
Google 자기계발아마존
YouTube 방탄자기계발
방탄 리더 의무교육 1
직원은 5대 법정의무교육!
리더는 7대 의무교육!
7대 교육
최보규 리더의무교육 전문가
BOOKK
NAVER 방탄리더의무교육
NAVER 최보규

3D 입체 표지 디자인

Google 자기계발아마존

YouTube 방탄자기계발

NAVER 방탄리더기본기

NAVER 최보규

3D 입체 표지 디자인

Google 자기계발아마존

YouTube 방탄자기계발

NAVER 방탄리더인재양성

NAVER 최보규

3D 입체 표지 디자인

Google 자기계발아마존

YouTube 방탄자기계발

NAVER 리더십PT1

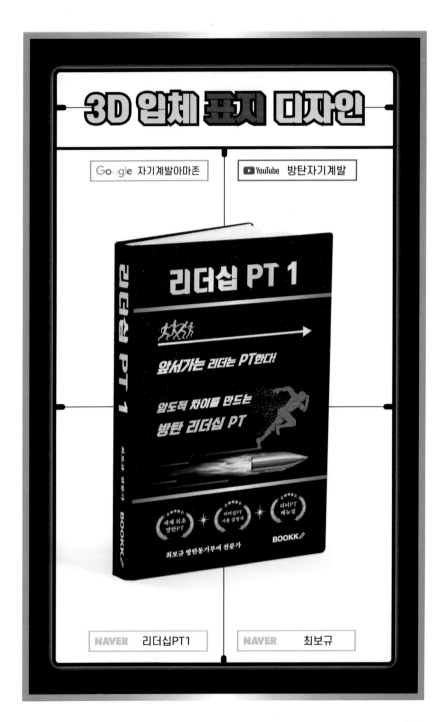

NAVER 최보규

3D 입체 표지 디자인

Google 자기계발아마존

YouTube 방탄자기계발

NAVER 리더십식스팩1

NAVER 최보규

3D 입체 표지 디자인

Google 자기계발아마존

YouTube 방탄자기계발

NAVER 방탄리더스토리텔링

NAVER 최보규

3D 입체 표지 디자인

Google 자기계발아마존

YouTube 방탄자기계발

NAVER 리더의방탄인간관계

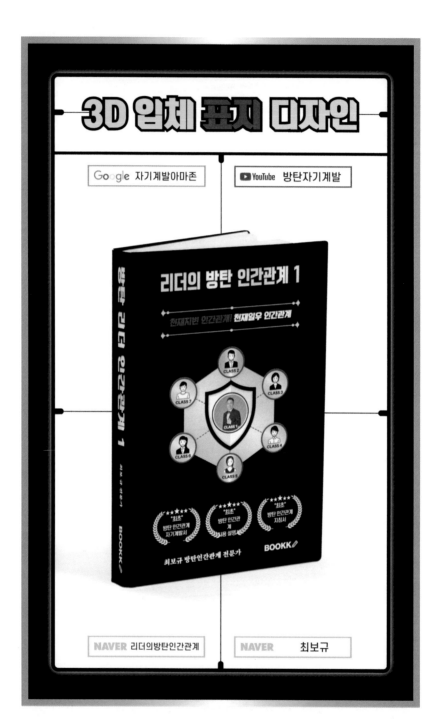

NAVER 최보규

3D 입체 표지 디자인

Google 자기계발아마존

YouTube 방탄자기계발

리더의 방탄 소통 1
방탄 소통! 방탄 공감! CLASS 7
소통에 답이 있는가? 정답은 답이 아니다.
해결책도 답이 아니다. 공감만이 답이다.
리더 필독 도서
"최초" 방탄 소통 사용 설명서
"최초" 방탄 공감 지침서
최보규 방탄소통 전문가
BOOKK

NAVER 리더의방탄소통

NAVER 최보규

3D 입체 표지 디자인

Google 자기계발아마존

YouTube 방탄자기계발

NAVER 1조리더십강의

NAVER 최보규

3D 입체 표지 디자인

Google 자기계발아마존

YouTube 방탄자기계발

NAVER 300만원동기부여강의

NAVER 최보규

종이책 150권, 전자책 250권 총 400권 출간 출간했던 3D 입체 표지 샘플을 보면서 어떤 생각이 들었는가?

20,000명 심리 상담, 코칭 하면서 쌓인 내공과 종이책 150권, 전자책 250권 총 400권 출간 했던 내공으로 당신이 지금 어떤 생각이 들었고 어떤 궁금증이 생기는지 맞혀 보겠다.

"표지 앞면 디자인과 3D 입체 표지 디자인 차이가 많이 난다. 3D 입체 표지가 진짜 책처럼 생동감이 느껴진다. 그런데 인터넷 서점에서 검색을 해보면 3D 입체 표지가 아니라 2D 표지 앞면만 나오던데? 가끔씩 책 상세 설명에 나오는 것을 종종 본거 같은데... 주로 3D 입체 표지 어디에 쓰는 거지? 진짜 마우(마우스만 움직일 줄 아는 우주 초보)실력으로 포토샵에서 가능한 3D 입체 표지 디자인을 할 수 있다고? 믿어지지 않는데? 마우(마우스만 움직일 줄 아는 우주초보)실력으로 만들 수 있다면 제대로 배워 보고 싶다."

3D 입체 표지는 책 마케팅을 할 때 필요하다. 책 앞면 표지 디자인만 했을 때 홍보 이미지와 3D 입체 표지 디자인했을 때 홍보 이미지 차이는 많이 난다. 2D와 3D 차이라고 보면 된다.

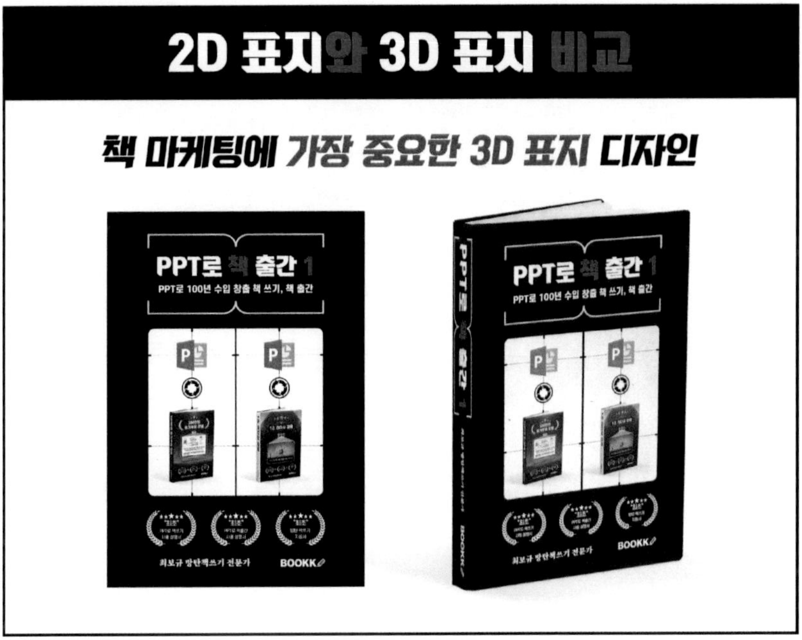

인생은 어떤 사람(멘토)을 만나느냐에 따라 달라지고 자신 분야 전문성은 어떤 도구를 활용하느냐에 따라 달라진다.

단언컨대 마우(마우스만 움직일 줄 아는 우주 초보) 실력으로 책 표지를 만들 수 있다면 3D 입체 표지도 도구(프로그램)를 활용해 만들 수 있다. 3D 입체 표지 디자인 만드는 방법 시작한다. 집중!

당신에게 망고보드는

천재일우

5.

3D 입체 표지 디자인 만드는 방법

5. 3D 입체 표지 디자인 만드는 방법

1) 3D 입체 표지 디자인 만드는 방법

① 무료 목업 사이트 https://diybookcovers.com/

만들어 놓은 표지(1540px * 2160px)를 사용 하면 된다. diybookcovers 사이트 홈페이지에 들어가서 메인화면 중간쯤에 무료 3D 도서 모형 만드는 버튼이 있다.

총 3단계로 이루어져 있다.

1단계는 3D모형을 선택.

2단계는 표지 이미지 선택.

3단계는 무료 모형 다운로드.

누구나 쉽게 할 수 있는 순서이니 특별한 설명이 필요가 없다. 그럼에도 불구하고 힘들다면 네이버에서 3D 입체 표지 만들기 검색하면 설명을 해놓은 블로그들이 많다.

② 유료 목업 사이트 플레이스잇 https://placeit.net/

필자는 플레이스잇 프로그램을 활용하고 있다. 3D 입체 표지 디자인도 많고 표지 활용할 수 있는 플랫폼(책 표지 동영상 제작)도 많다. 유료를 써야 되는 이유는 무료면 많은 사람들이 쓰기에 경쟁력이 떨어진다. 그래서 제대로 할 거라면 유료를 쓰고 대충 하거나 책으로 돈을 벌 생각이 아니라면 무료를 쓰면 된다.

유료 3D 입체 표지 디자인

유료 3D 입체 표지 디자인

유료 3D 입체 표지 디자인

유료 3D 입체 표지 디자인

유료 3D 입체 표지 디자인

유료 3D 입체 표지 디자인

당신에게 망고보드는

천재일우

6.

망고보드에서 날개 표지 만드는 사용 설명서

날개 표지 디자인 샘플

날개 표지 이미지

출간한 책 이미지

날개 표지 디자인 샘플

날개 표지 이미지

⑤ ④ ③ ② ①

날개 표지 사이즈

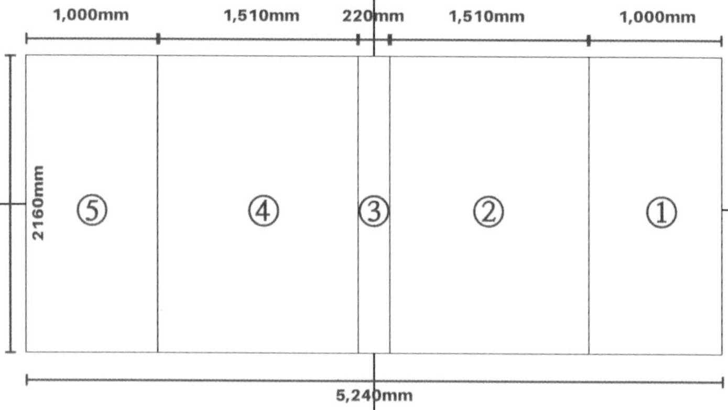

책 앞면 날개 표지

특허청 등록

최보규 자기계발코칭 창시자

★ 등록 번호: 제 40-2072344 호 ★

최보규

방탄자기계발 전문가

유튜브 〈방탄자기계발최보규〉

nice5889@naver.com

★ 80억 분의 1 ONLY ONE 검증된 동기부여 일타강사!
★ 삼성(전문성, 진정성, 신뢰성)이 검증된 코칭 전문가.
★ 출판계 최초! 출판계의 혁신인 6가지 수입 창출 책 쓰기, 출간 기술력을 창시한 사람. [출판계의 스티브 잡스]

★ 20,000명 심리 상담, 코칭을 통해 대한민국 극단적인 선택률, 이혼율을 낮추고 행복률을 올리기 위해 방탄자기계발사관학교를 만든 사람.
www.방탄자기계발사관학교.com

★ 20,000 / 7G / 2,000 / 7,000 / 100 / 50 / 6,000 / 45 / 320 / 15 숫자가 말해주는 사람!
20,000명 심리 상담, 코칭.
7G 직업(출판사 대표, 작가, 심리 상담사, 코칭 전문가, 강사, 유튜버, 한집의 가장)
2,000권 독서. 7,000개 메모. 자기계발서 100권 출간.
100권 출간한 책으로 온라인 콘텐츠, 디지털 콘텐츠 제작하여 50층 온라인 건물주. 강의 6,000회.
45년간 습관 320가지 만듦. 강사 15년 차.

★ 최보규상(대한민국 노벨상)을 만든 사람.
최보규를 알고 있는 사람들에게 나다운 행복을 만들어 주기 위해 올바른 노력을 하는 사람.

책 앞면 표지

300만원
동기부여 강의
동기부여
UP
스마트폰은 사용하지 않아도 배터리가 소모되듯
동기부여 또한 숨만 쉬어도 소모가 된다.
"세계 최초" 동기부여 초고속 충전!
동기부여 일타강사
강사야 대표 강사
특허청 등록
최보규 동기부여 일타강사
BOOKK

책등

300만원 동기부여 강의

최보규 동기부여 일타강사

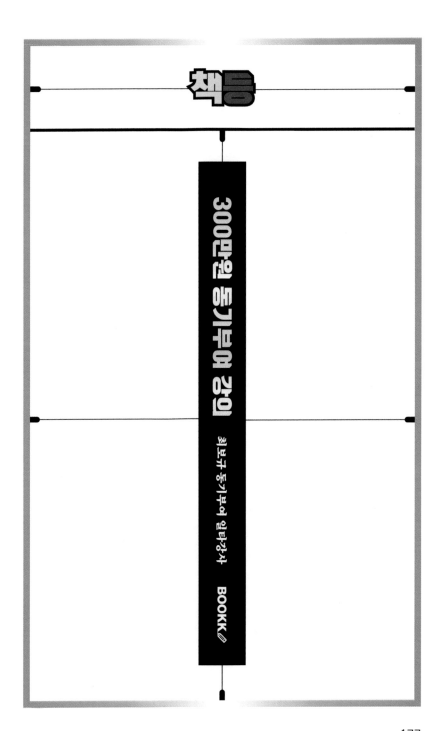

BOOKK

책 뒷면 표지

세상에는 3부류에
동기부여를 배우는 사람이 있다!
동포자(동기부여 포기자)
수많은 동기부여 영상, 글... 등을 봤지만 전혀 동기부여가 되지 않아 동기부여를 포기한 사람.
동포 예정자
수많은 동기부여 독서, 자격증, 교육, 코칭을 받지만 그때뿐이고 시간, 돈 낭비만 하는 사람.
방 탄
동기부여
NAVER 방탄동기부여
동케시(동기부여 케어 시스템)
동기부여를 시스템 안에서 동기부여 주치의에게 150년 a/s, 피드백, 관리 받으면서 자신 분야 변화, 성장을 초고속으로 준비 하는 사람.

책 뒷면 날개 표지

ONLY ONE
"80억 분의 1 검증된 전문가"
"세계 최초"
동기부여 초고속 충전!
해보자! 해보자!
자신 가능성을 믿고!
해보자!
해보자!
자신의
사과 씨, 도토리, 포도 씨 믿으세요!
사과 씨 안에 얼마나 많은 사과가 있는지 모른다!
도토리 안에 얼마나 많은 도토리가 있는지 모른다!
포도 씨 안에 얼마나 많은 포도가 있는지 모른다!

날개 표지 디자인 샘플

날개 표지 이미지

⑤ ④ ③ ② ①

날개 표지 사이즈

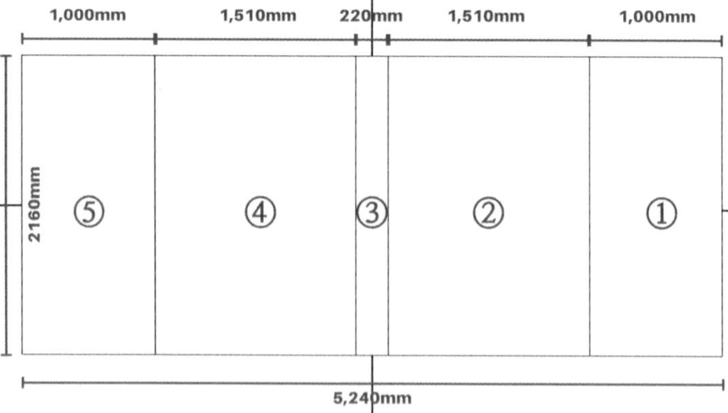

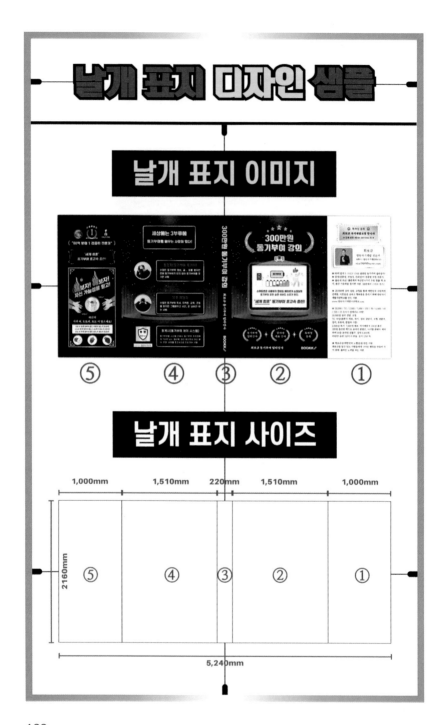

트렌디한 디자인이 필요할땐
망고보드
저작권 걱정 No 다양한 템플릿 제공
매주 새로운 고퀄리티의 템플릿이!
망고보드 1:1 코칭
최보규 망고보드 전문가
010-6578-8295
망고보드
쉽게
따라하기
세상에서 가장 쉬운 디자인!
마우스만 움직일 줄 알면 전문 디자인이 된다!
망고보드 1:1 코칭 한번으로
우주 책임감
150년 a/s, 피드백, 관리! 상담받자!
핵심 팁!

책 앞면 날개 표지 디자인 설명

③ ④ ⑤

⑫ 특허청 등록

최보규 자기계발코칭 창시자

★ 등록 번호: 제 40-2072344 호 ★

⑥

⑬ 최보규

방탄자기계발 전문가

유튜브 〈방탄자기계발최보규〉

nice5889@naver.com

⑦ ⑧

★ 80억 분의 1 ONLY ONE 검증된 동기부여 일타강사!

★ 삼성(전문성, 진정성, 신뢰성)이 검증된 코칭 전문가.

★ 출판계 최초! 출판계의 혁신인 6가지 수입 창출 책 쓰기, 출간 기술력을 창시한 사람. [출판계의 스티브 잡스]

⑭

★ 20,000명 심리 상담, 코칭을 통해 대한민국 극단적인 선택률, 이혼율을 낮추고 행복률을 올리기 위해 방탄자기계발사관학교를 만든 사람.

www.방탄자기계발사관학교.com

⑩ ⑪

★ 20,000 / 7G / 2,000 / 7,000 / 100 / 50 / 6,000 / 45 / 320 / 15 숫자가 말해주는 사람!

20,000명 심리 상담, 코칭.

7G 직업(출판사 대표, 작가, 심리 상담사, 코칭 전문가, 강사, 유튜버, 한집의 가장)

2,000권 독서. 7,000개 메모. 자기계발서 100권 출간.

100권 출간한 책으로 온라인 콘텐츠, 디지털 콘텐츠 제작하여 50층 온라인 건물주. 강의 6,000회.

45년간 습관 320가지 만듦. 강사 15년 차.

★ 최보규상(대한민국 노벨상)을 만든 사람.

최보규를 알고 있는 사람들에게 나다운 행복을 만들어 주기 위해 올바른 노력을 하는 사람.

⑨ ①

②

2) 책 앞면 날개 표지 디자인 설명

① 책날개 기본 A5 사이즈 - 세로 216mm
② 책날개 - 가로 100mm
③ 인쇄 할 때 위, 아래 절단선 - 3mm
④ 인쇄 할 때 절단선 - 3mm
⑤ 위에서부터 - 10mm
⑥ 위에서부터 - 44mm
⑦ 위에서부터 - 80mm
⑧ 위에서부터 - 84mm
⑨ 아래에서부터 - 10mm
⑩ 왼쪽에서부터 - 7mm
⑪ 오른쪽에서부터 - 9mm
⑫ 저자, 책이 검증되어 법의 보호를 받고 있다는 것을 증명하는 디자인. (자신이 가지고 있는 타이틀 중에 강력하게 어필할 수 있는 내용이면 좋다.)
⑬ 저자 사진, 이름, 전문 분야 타이틀, 유튜브, 메일... 등. (자신과 직접적으로 소통할 수 있는 타이틀)
⑭ 저자 소개, 책의 가치, 내공, 값어치를 어필할 수 있는 소개 글.

책 앞면 표지 디자인 설명

③
⑫ 300만원
동기부여 강의
⑤
⑧
동기부여
UP
①
②
스마트폰은 사용하지 않아도 배터리가 소모되듯
동기부여 또한 숨만 쉬어도 소모가 된다.
"세계 최초" 동기부여 초고속 충전!
⑥
⑭
⑨ 동기부여 일타강사
강사야 대표 강사
특허청 등록
⑦
⑩ 최보규 동기부여 일타강사
⑪ BOOKK
④

3) 책 앞면 표지 디자인 설명

- 책 앞면 표지 너비 1540PX * 높이 2160PX

(부크크출판사 A5 규격 148+6(제단 선) * 210+6(제단 선)= 너비 154mm * 높이 216mm)

#. 효율적인 표지 날개, 표지 작업과 전자책(PDF) 표지 작업을 위해 너비, 높이를 픽셀(PX)로 작업했다. 픽셀이 아닌 mm로 작업해도 된다.

#. Pixrl(픽셀): 유튜브 썸네일, 상세페이지, 커뮤니티 게시판 등.

#. mm또는 cm: 명함, 라벨, 액자, 머그컵, 현수막 등.

①번, ②번: 핵심 디자인을 가운데 배치했을 때 좌, 우 여택을 주어 안정적인 시각적 효과를 주기 위한 기본 좌, 우 100PX이다. (디자이너마다 다르니 참고)

③번: 위에서부터 150PX (책의 가장 위쪽과 시작하는 디자인과의 안정적인 시각적 효과를 주기 위한 여유 공간)

④번: 위에서부터 120PX (책의 가장 밑쪽과 저자, 출판사 로고와의 안정적인 시각적 효과를 주기 위한 여유 공간)

⑤번: 위에서부터 520PX (책 제목과 제목의 디자인을 안정적인 시각적 효과를 주기 위한 위치)

⑥번: 밑에서부터 440PX (책의 가치를 어필하기 하고 디자인을 안정적인 시각적 효과를 주기 위한 위치)

⑦번: 밑에서부터 215PX (책의 가치를 어필하기 하고 디자인을 안정적인 시각적 효과를 주기 위한 위치)

⑧번: 핵심 존. 책 표지 디자인에서 주인공이라고 느낄 수 있게 디자인을 해줘야 하는 곳이다. 《300만원 동기부여 강의》 책 제목에서 가장 중요한 콘셉트 디자인이 무엇일 거 같은가? '300만 원? 동기부여? 강의?' 이 3가지를 다 어필할 수 있는 디자인이면 좋다. 그 중에서도 핵심 디자인 콘셉트는 강의다.

강의 콘셉트를 상징하고 어필할 수 있는 빔 프로젝터와 스크린을 활용하여 책을 볼 수 있는 궁금증 유발, 호기심 유발을 할 수 있는 핵심 디자인과 핵심 문구를 만들어야 한다. "기존에 알고 있는 동기부여 책과 차원이 다를 거 같다. 무조건 책 읽어 봐야겠다."라는 느낌이 들 수 있는 핵심 디자인을 해야 한다.

《300만원 동기부여 강의》 이 책에 모든 것이 압축되어 알 수 있는 곳이고 주인공이기에 가장 신경을 써야 한다.

#. 화장으로 비유를 하면 외출할 때 하는 가벼운 화장 기법이 아닌 웨딩 촬영할 때 화장하는 풀메이크업을 해야 된다.

⑨번: **책의 가치, 내공, 값어치를 어필하기 위한 디자인이다.** 《300만원 동기부여 강의》 책의 가치, 내공, 값어치가 간접적으로 어필이 되어야 한다. 직접적으로 어필은 책 소개에서 하면 된다.

#. 책의 가치, 내공, 값어치를 어필하는 다른 예시를 참고하자. 동기부여 사용설명서, 직장인 필독 도서, 리더 필독 도서, 동기부여 지침서, 자기계발 지침서, 동기부여 바이블... 등

종이책 표지 디자인 설명
③ 150PX
⑫ 300만원
동기부여 강의
⑤ 560PX
⑧
동기부여
UP
스마트폰은 사용하지 않아도 배터리가 소모되듯
동기부여 또한 숨만 쉬어도 소모가 된다.
"세계 최초" 동기부여 초고속 충전!
① 100PX
② 100PX
⑬
⑥ 440PX
⑭
⑨
동기부여
일타강사
강사야
대표 강사
특허청
등록
⑦ 215PX
⑩ 최보규 동기부여 일타강사
⑪ BOOKK
④ 120PX

⑩번: 저자 이름. 저자 이름 보다 저자가 어떤 전문가인지를 알리는 명칭을 쓰면 더 효과적이다.
⑪번: 출판사 로고. 부크크 홈페이지에서 '자주 묻는 질문' 으로 들어가면 도서를 클릭하면 로고 파일 다운로드가 있다.
⑫번: 책 제목. ⑧번 핵심 존 디자인 좌우 사이즈를 경계로 제목을 디자인한다. 핵심 존 디자인 다음으로 잘 보여야 할 것이 제목 디자인이다. 제목이 주인공일 거 같지만 표지 전체적인 디자인에서 핵심 디자인 어필이 되어야만 제목이 가지고 있는 뜻의 의미가 극대화 된다. (핵심 존 좌우 간격 260PX, 디자인마다 가격이 다를 수 있다.)

한번 생각해 보자. 제목이 화려한데 핵심 디자인이 제목을 받쳐주지 못하면 책 제목의 화려함은 장점이 아닌 단점이 되어 버린다. 지금 시대 평균적인 사람들의 시각적인 심리를 잘 읽어야 한다. 하루가 멀다 하고 대중매체, 유튜브, 인스타그램, SNS 등으로 인해서 어마어마하게 화려한 영상, 이미지를 보고 있다. 수준이 높아진 시각적인 심리 상황에서 일단 디자인이 화려하지 않으면 어필이 되지 않는다는 것이다. 다음으로 나오는 《300만원 동기부여 강의》책 표지의 화려하지 않는 책 표지 버전과 화려한 책 표지 버전 비교한 것을 보면 좀 더 이해가 될 것이다.

표지 비교

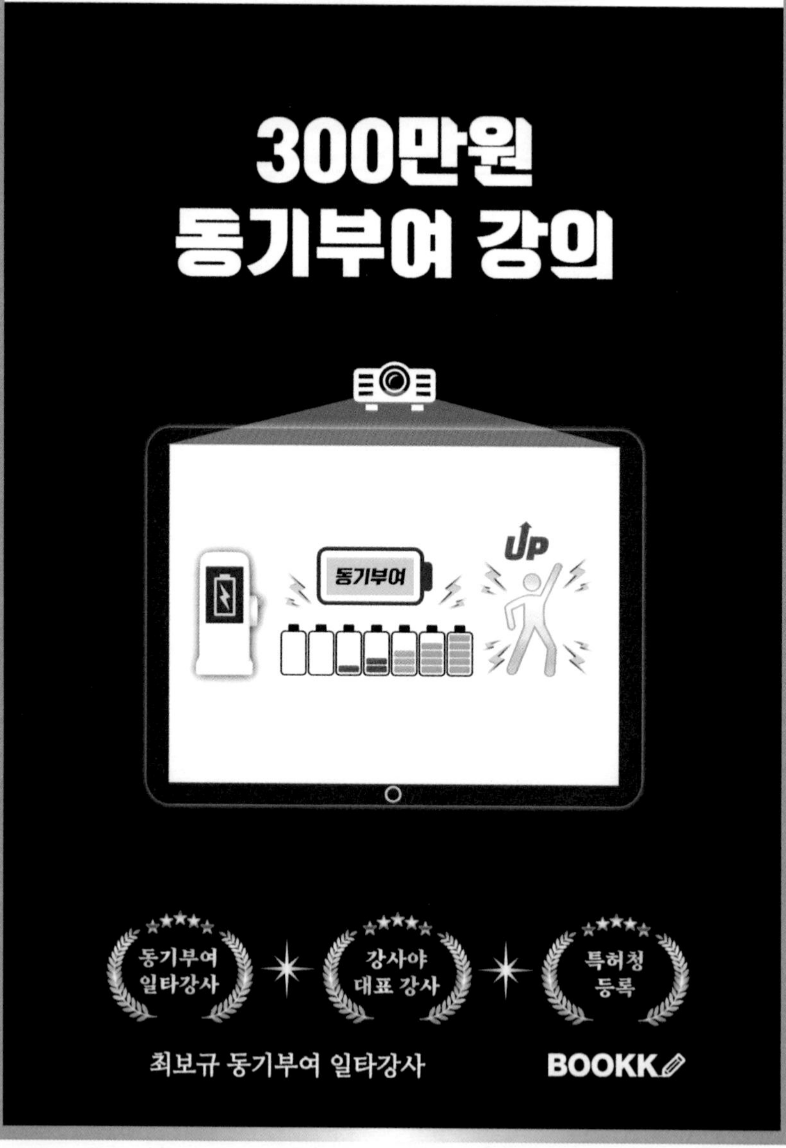
300만원
동기부여 강의
동기부여
UP
동기부여
일타강사
강사야
대표 강사
특허청
등록
최보규 동기부여 일타강사
BOOKK

표지 비교

300만원
동기부여 강의
동기부여
UP
스마트폰은 사용하지 않아도 배터리가 소모되듯
동기부여 또한 숨만 쉬어도 소모가 된다.
"세계 최초" 동기부여 초고속 충전!
동기부여 일타강사
강사야 대표 강사
특허청 등록
최보규 동기부여 일타강사
BOOKK

종이책 표지 디자인 설명

③ 150PX
⑫ 300만원
동기부여 강의
⑤ 560PX
⑧
동기부여
UP
스마트폰은 사용하지 않아도 배터리가 소모되듯
동기부여 또한 숨만 쉬어도 소모가 된다.
"세계 최초" 동기부여 초고속 충전!
① 100PX
② 100PX
⑥ 440PX
⑭
⑨
동기부여
일타강사
강사야
대표 강사
특허청
등록
⑦ 215PX
⑩ 최보규 동기부여 일타강사
⑪ BOOKK
④ 120PX

⑬번: 배경 이미지. 《300만원 동기부여 강의》 책은 강사가 강의하는 콘셉트이기에 강단을 화려하면서도 은은한 무대 사진으로 디자인했다. 배경 이미지가 화려해버리면 주인공이 죽는다. 배경 이미지는 제목 다음으로 조연배우다.

⑭번: 바탕색. 배경 이미지와 어우릴 수 있는 검정색으로 했다.

책등 표지 디자인 설명

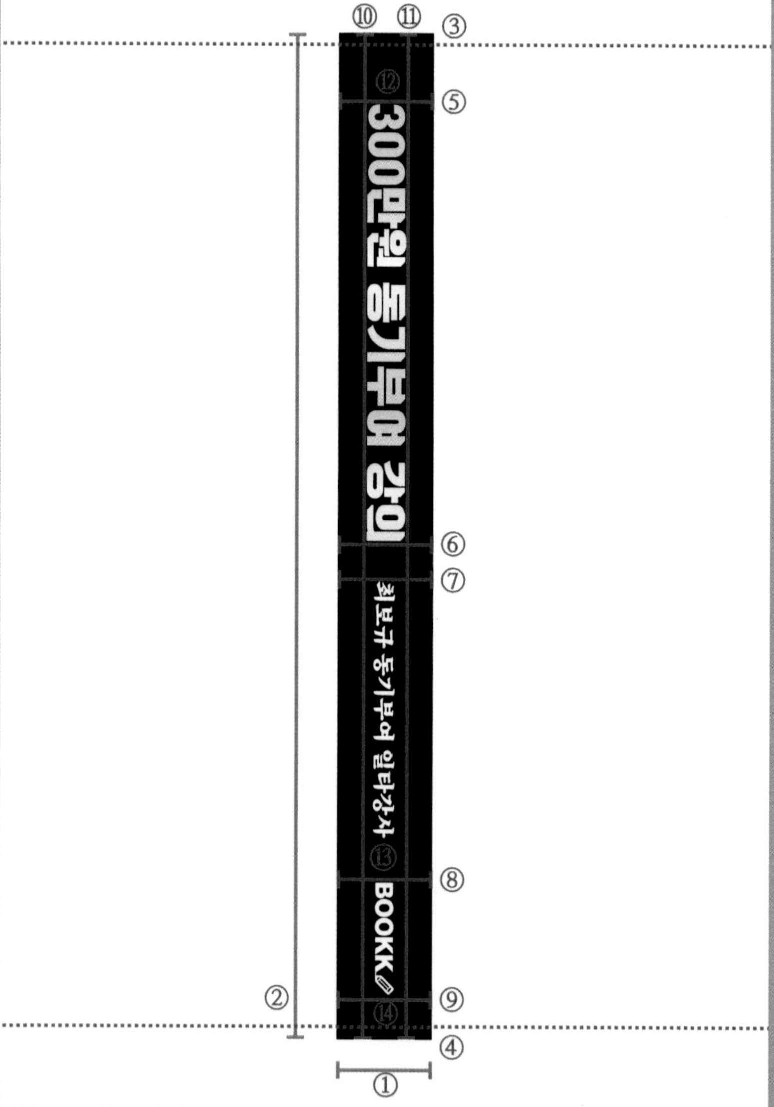

4) 책등 표지 디자인 설명

① 책등 가로 사이즈는 책 페이지에 따라 다르다.

부크크출판사 종이책 만들기 1단계에 있는 도서 형태에서 장수를 입력하면 두께가 자동으로 설정된다.

예)100P = 7.8mm

《300만원 동기부여 강의》 책은 354P다.

354P = 21.07mm / 22mm로 한다.

#. 예시) 23.13mm 이면 소수점 뒷자리는 올림으로 24mm 로 디자인.

초고 → 원고 → 퇴고 → 탈고가 끝나면 최종 책 페이지가 나온다. 페이지 숫자를 입력하면 자동으로 책 두께가 계산 되어서 알 수 있다.

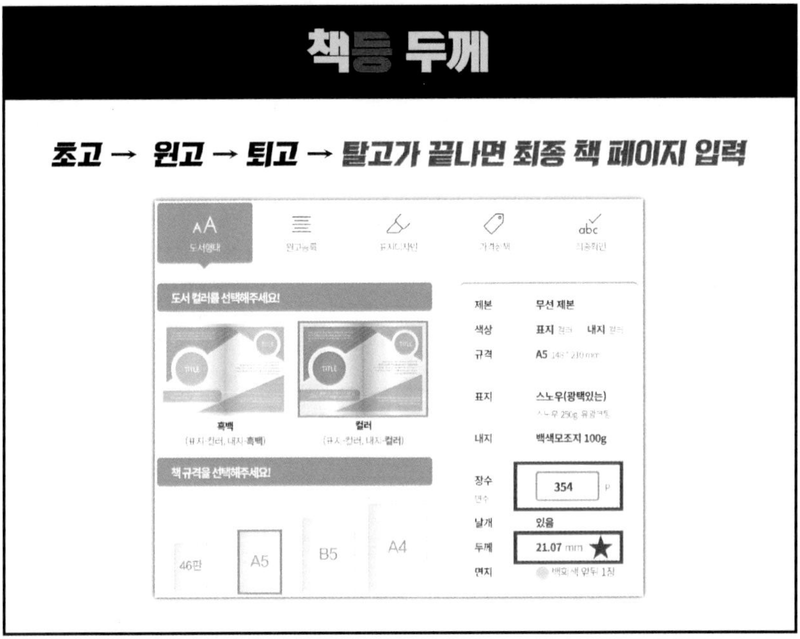

책등 표지 디자인 설명

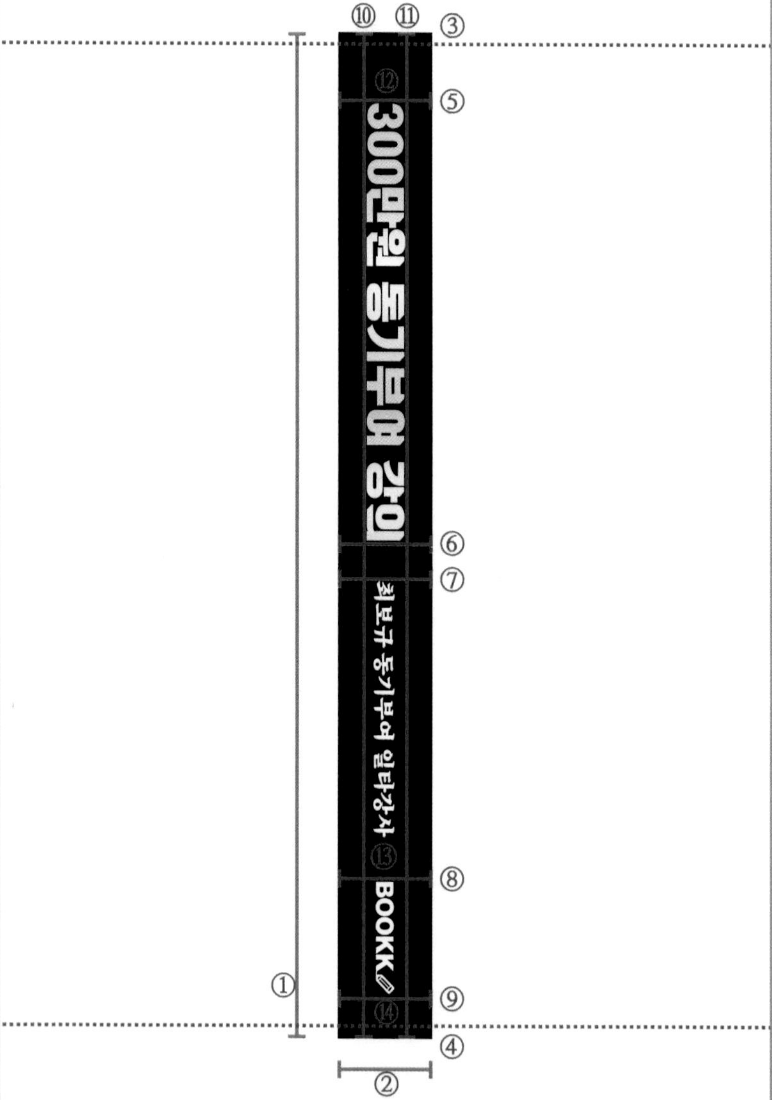

② 책 등 A5 사이즈 - 세로 216mm
③ 인쇄할 때 위 절단선 - 3mm
④ 인쇄할 때 아래 절단선 - 3mm
⑤ 위에서부터 - 14mm
⑥ 위에서부터 - 107mm
⑦ 아래에서부터 - 100mm
⑧ 아래에서부터 - 34mm
⑨ 아래에서부터 - 10mm
⑩ 왼쪽에서부터 - 7mm
⑪ 오른쪽에서부터 - 7mm
⑫ 제목
⑬ 저자
⑭ 출판사 로고

책 뒷면 표지 디자인 설명

③
⑬ 세상에는 3부류에
동기부여를 배우는 사람이 있다!
④
⑫ ⑪
⑤
⑭ 동포자(동기부여 포기자)
수많은 동기부여 영상, 글... 등을 봤지만 전혀 동기부여가 되지 않아 동기부여를 포기한 사람.
⑥
① ②
⑦
⑮ 동포 예정자
수많은 동기부여 독서, 자격증, 교육, 코칭을 받지만 그때뿐이고 시간, 돈 낭비만 하는 사람.
⑧
⑨
방탄
동기부여
NAVER 방탄동기부여
⑯ 동케시(동기부여 케어 시스템)
동기부여를 시스템 안에서 동기부여 주치의에게 150년 a/s, 피드백, 관리 받으면서 자신 분야 변화, 성장을 초고속으로 준비 하는 사람.
⑩

5) 책 뒷면 표지 디자인 설명

- 부크크출판사 A5 규격 너비 154mm * 높이 216mm

위, 아래 점선은 인쇄할 때 제단 선이다.

①번, ②번: 핵심 디자인을 가운데 배치했을 때 좌, 우 여택을 주어 안정적인 시각적 효과를 주기 위한 기본 좌, 우 18mm이다. (디자이너마다 다르니 참고)

③ 위에서부터 - 15mm

④ 위에서부터 - 52mm

⑤ 위에서부터 - 66mm

⑥ 위에서부터 - 101mm

⑦ 아래에서부터 - 100mm

⑧ 아래에서부터 - 65mm

⑨ 아래에서부터 - 50mm

⑩ 아래에서부터 - 15mm

⑪ 왼쪽에서부터 - 50mm

⑫ 왼쪽에서부터 - 53mm

⑬ 뒷면 표지의 핵심 문구 - 세상에는 3부류에 동기부여를 배우는 사람이 있다. (20,000명 심리 상담, 코칭하면서 알게 된 데이터)

⑭ 뒷면 표지의 핵심 문구 동포자 설명 - 동포자(동기부여 포기자): 수많은 동기부여 영상, 글... 등을 봤지만 전혀 동기부여가 되지 않아 동기부여를 포기한 사람.

⑮ 뒷면 표지의 핵심 문구 동포 예정자 설명 - 동포 예

정자: 수많은 동기부여 독서, 자격증, 교육, 코칭을 받았지만 그때뿐이고 시간, 돈 낭비만 하는 사람.

⑯ 뒷면 표지의 핵심 문구 동케시 설명 - 동케시(동기부여 케어 시스템): 동기부여를 시스템 안에서 동기부여 주치의에게 150년 a/s, 피드백, 관리 받으면서 자신 분야 변화, 성장을 초고속으로 준비하는 사람.

20,000명 심리 상담, 코칭으로 알게 된 사람들이 바라는 6가지 시스템!

1

커피숍에서 지인과 대화 중에도 돈이 입금되는 시스템?

2

자고 있는데 돈을 버는 시스템?

3

여행 중에도 돈이 입금되는 시스템?

4

사무실, 직원이 필요 없는 시스템?

5

건물주처럼 월세가 입금되는 시스템?

6

집에서 댕댕이와 휴식하고 있는데 돈이 입금되는 시스템?

세계 최초! 출판계의 혁신!
돈이 들어오는 6가지 시스템을
가능하게 하는 것이

방탄book기술력!

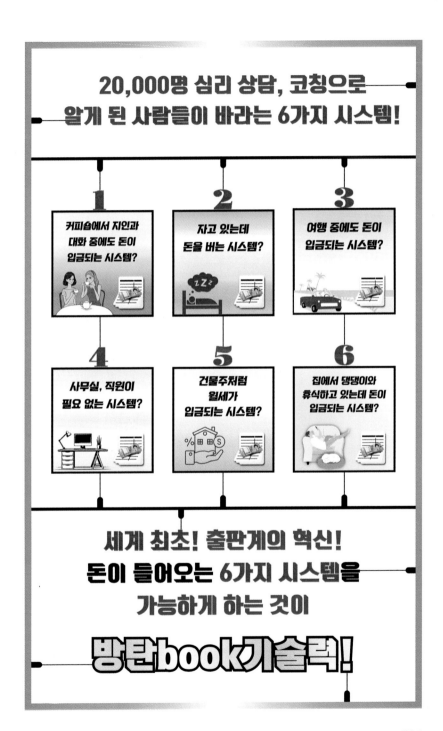

책 뒷면 날개 표지 디자인 설명

③
④
①
②
⑤
⑥
⑦
⑧
⑨
⑩
⑪
⑫
⑬
⑭
⑮
ONLY ONE
"80억 분의 1 검증된 전문가"
"세계 최초"
동기부여 초고속 충전!
해보자! 해보자!
자신 가능성을 믿고!
해보자!
해보자!
자신의
사과 씨, 도토리, 포도 씨 믿으세요!
사과 씨 안에 얼마나 많은 사과가 있는지 모른다!
도토리 안에 얼마나 많은 도토리가 있는지 모른다!
포도 씨 안에 얼마나 많은 포도가 있는지 모른다!

6) 책 뒷면 날개 표지 디자인 설명

① 책날개 기본 A5 사이즈 - 세로 216mm

② 책날개 - 가로 100mm

③ 인쇄할 때 위, 아래 절단선 - 3mm

④ 인쇄할 때 절단선 - 3mm

⑤ 위에서부터 - 15mm

⑥ 위에서부터 - 46mm

⑦ 위에서부터 - 52mm

⑧ 위에서부터 - 75mm

⑨ 위에서부터 - 79mm

⑩ 아래에서부터 - 15mm

⑪ 왼쪽에서부터 - 16mm

⑫ 오른쪽에서부터 - 10mm

⑬ 기억에 남을 강력한 디자인 - "80억 분의 1 검증된 전문가" (세계에서 방탄동기부여를 할 수 있는 사람은 한 명 뿐이다.)

⑭ 차별화가 아닌 초월 - 4차 산업 시대는 4차 동기부여인 방탄동기부여로 일반 충전이 아닌 초고속 충전!

⑮ 책 뒷면 날개 표지 핵심 디자인 존 - 자신의 무한한 가능성을 끌어올려주는 방탄동기부여! 자신의 사과 씨, 도토리, 포토 씨 믿으세요! 사과 씨 안에 얼마나 많은 사과가 있는지 모른다!

도토리 안에 얼마나 많은 도토리가 있는지 모른다!

포도 씨 안에 얼마나 많은 포도가 있는지 모른다!

자신을 믿지 못하겠다면 자신을 믿어주는 최보규 방탄동기부여 창시자를 믿고 시작합시다.

시간, 경력만 채우는 노오력이 아닌 어제보다 나음, 변화, 성장, 배움으로 수입을 극대화시켜 결과를 만들어 내는 올바른 노력을 해야 한다. 올바른 노력이 방탄동기부여다.

날개 표지 디자인 샘플

날개 표지 이미지

⑤ ④ ③ ② ①

날개 표지 사이즈

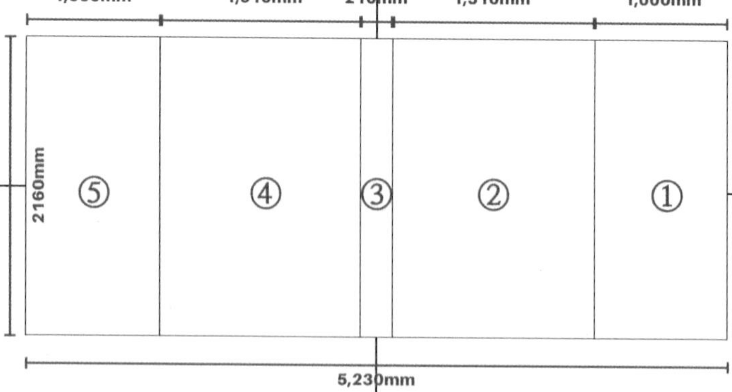

날개 표지 디자인 샘플

날개 표지 이미지

출간한 책 이미지

명품 방탄도서
4차 산업 시대
4차 리더십은 방탄리더십
해보자! 해보자!
리더 가능성을 믿고!
리더의
사과 씨, 도토리, 포도 씨 믿으세요!
방탄 리더 1명이
10만 명을 변화 시킨다!
7. 방탄 리더 코칭
6. 방탄 리더 자기계발
5. 방탄 리더 행복
4. 방탄 리더 습관
3. 방탄 리더 멘탈
2. 방탄 리더 자존감
1. 방탄 리더십 본질
방탄 리더십 1
최보규 방탄리더십 창시자
방탄
리더십
방탄리더십
업데이트!
최보규 방탄리더십 창시자
리더
필독 도서
세계 최초
리더 지침서
세계 최초
방탄리더십
최보규
방탄리더십 전문가
유튜브 〈방탄자기계발최보규〉
nice5889@naver.com

세계최초 방탄멘탈
나다운 방탄멘탈
최보규 지음 | 295쪽 | 16,800원
하루가 멀다 하고 내 멘탈을 흔드는 세상 속
이제는 멘탈을 보호하기 위한 업데이트하자!
세계최초 강사 백과사전
나다운 강사 1
최보규 지음 | 572쪽 | 30,000원
1,000개가 넘는 강의 분야, 10개가 넘는 강사
분야 그 누구도 통합시키지 못한 강사 바이블,
강사 백과사전, 강사 사용설명서
포노 사피엔스 시대!(스마트폰 시대)
4차 산업 시대! AI 시대! SNS 시대!
초고속 성장, 스마트폰으로 인해 상대적 불행
상대적 불만, 상대적 빈곤에 노출이 되어 행복을 도둑맞고 있다.
나다운 행복을 지켜줄 우주에서 유일한 행복 히어로!
세계에서 대한민국 행복률이 꼴찌인 이유?
행복 학습, 행복 연습, 행복 훈련을 안해서이다.
행복도 스펙이다!
#영웅 #행복영웅 #행복사관학교 #나다운행복
행복 히어로
최보규 지음
행복히어로
(행복사관학교)
대한민국 행복을 지켜줄 히어로가 왔다!
최보규 지음
최보규
www.행복사관학교.com
유튜브 〈나다운TV최보규〉
작가, 강사이며 심리상담가 방탄멘탈 전문가이자 강사양성 코칭전문가. 행복사관학교 대표. 강사양성 코칭전문가로서 1,000개가 넘는 강의 분야를 하나로 통합하여 실질적 코칭을 해주며 시스템 및 강사 지침서를 대한민국 최초로 만들었다. 전국을 다니면서 자자자자멘습공 강의를통해 나다운 행복을 만들어갈 수 있도록 동기부여해주고 있다. 13년 동안 15,000명을 상담하면서 극단적인 선택률, 이혼율이 세계최고인 이유가 행복률이 세계최하위에서 알게 하듯 이제는 순간 느끼고 끝나는 행복이 아닌 꾸준한 행복 학습, 행복 연습, 행복 훈련을 통해 나다운 행복을 만들어가야 된다는 것을 알고 강의, 코칭, 유튜브〈나다운TV 최보규〉를 통해 행복률을 올리기 위한 행동을 하고 있다. 저서로는 대한민국 최초 강사양성 지침서, 강사 백과사전인 『나다운 강사1(강사 내비게이션), 나다운 강사2(강사 사용 설명서)』가 있고 세계최초 방탄멘탈 지침서인 『나다운 방탄멘탈(자자자자멘습공)』이 있다.

자기계발코칭전문가
6단계 시스템
1단계: 방탄자존감.
2단계: 방탄멘탈.
3단계: 방탄습관.
4단계: 방탄행복.
5단계: 방탄자기계발.
6단계: 방탄코칭.
명품 자기계발의 조건!
1. 단 하나. (only one)
방탄자기계발 코칭은 오직 최보규 창시자만 가능하다.
2. 우주 최강 책임감. (150년 a/s. 관리. 피드백)
3. 체계적인 1:1 맞춤 시스템. (9단계 시스템)
4. 20,000명 상담. 코칭. (상담 전문가)
5. 삶선이 검증된 전문가(진정성. 전문성. 신뢰성)
자기계발 책 12권 출간.
자기계발 코칭전문가 1
최보규 창시자
자기계발 코칭전문가 1
4차 산업 시대에는 명품 인재인
방탄자기계발 전문가 1명이
10만 명의 인생을 변화 시킨다!
방탄자기계발 전문가
최보규 참모총장
방탄 자기계발 창시자
자기계발 7관왕
명품코칭 전문가
최보규
방탄자기계발 전문가
유튜브 《방탄자기계발최보규》
nice5889@naver.com

CLASS6 매뉴얼, 시스템!
세상에서
가장 리스크가 적은 재테크
세상에는 3부류에
재테크 하는 사람이 있다!
재포자(재테크 포기자)
수많은 재테크 영상, 글... 등을 봤지만 전혀 동기부여가 되지 않아 재테크를 포기한 사람.
재포 예정자
수많은 재테크를 독서, 자격증, 교육, 코칭을 받지만 그때뿐이고 시간, 돈 낭비만 하는 사람.
방탄
재케시(재테크 케어 시스템)
재테크를 시스템 안에서 재테크 주치의에게 150년 a/s, 피드백, 관리 받으면서 자신 분야 재테크를 초고속으로 준비 하는 사람.
방탄 리더 재테크 1
최보규 리더재테크 코칭전문가
방탄 리더 재테크 1
자고 있는데 돈을 버는 재테크!
여행 중에도 돈이 입금 되는 재테크!
사무실, 직원이 필요 없는 재테크!
언제까지 몸으로만 일 할 것인가?
최보규 리더재테크 코칭전문가
BOOKK
최보규
리더재테크 코칭전문가
유튜브 <방탄자기계발최보규>
nice5889@naver.com
20,000명 심리 상담, 코칭을 통해 많은 사람들을 살리고 함께 울고, 웃고, 공감으로 행복을 주는 상담사. 대한민국 극단적인 선택률, 이혼율을 낮추고 행복률을 올리기 위해 방탄자기계발사관학교를 만든 사람. www.방탄자기계발사관학교.com
4차 산업 시대에 4차 인재 양성에 힘쓰고 있는 사람 삼성(전문성, 진정성, 신뢰성)이 검증된 코칭 전문가
★ 20,000 / 7G / 2,000 / 7,000 / 53 / 50 / 6,000 / 45 / 320 / 15 숫자가 말해주는 사람!
20,000명 심리 상담, 코칭.
7G 직업(출판사 대표, 작가, 심리 상담사, 코칭 전문가, 강사, 유튜버, 한집의 가장)
2,000권 독서.
7,000개 메모.
자기계발서 53권 출간.
53권 출간한 책으로 온라인 콘텐츠, 디지털 콘텐츠 제작하여 50출 온라인 건물주.
강의 6,000회.
45년간 습관 320가지 만듦.
강사 15년 차.
최보규상(대한민국 노벨상)을 만든 사람.
최보규를 알고 있는 사람들과 앞으로 만날 사람들에게 나다운 행복을 만들어 주기 위해 올바른 노력을 하는 사람.

방탄 리더 동기부여
CLASS6 매뉴얼, 시스템!
동기부여 못하는 사람은 없다!
단지 동기부여
잘하는 방법을 모를 뿐이다!
세상에는 3부류에
동기부여 하는 사람이 있다!
동포자(동기부여 포기자)
수많은 영상, 글... 등을 봤지만 전혀 동기부여가 되지 않아 동기부여 포기한 사람.
동포 예정자
수많은 독서, 자격증, 교육, 코칭을 받지만 그때뿐이고 시간, 돈 낭비만 하는 사람.
동케시(동기부여 케어 시스템)
방탄 동기부여 시스템 안에서 동기부여 주치의에게 150년 a/s, 피드백, 관리 받으면서 자신 분야 초고속 동기부여 하는 사람.
방탄 리더 동기부여 1
최보규 방탄동기부여 창시자
방탄리더 동기부여 1
우리 리더는
제가 좋은 사람이
되고 싶도록 만들어요!
세계 최초
방탄리더
동기부여
최보규 방탄동기부여 창시자
최보규
리더동기부여 전문가
유튜브 〈방탄자기계발최보규〉
nice5889@naver.com
20,000명 심리 상담, 코칭을 통해 많은 사람들을 살리고 함께 울고, 웃고, 공감으로 행복을 주는 상담사. 대한민국 극단적인 선택률, 이혼율을 낮추고 행복률을 올리기 위해 방탄자기계발사관학교를 만든 사람. www.방탄자기계발사관학교.com
4차 산업 시대에 4차 인재 양성에 힘쓰고 있는 사람 삼성(전문성, 진정성, 신뢰성)이 검증된 코칭 전문가.
★ 20,000 / 7G / 2,000 / 7,000 / 39 / 50 / 6,000 / 45 / 320 / 15 숫자가 말해주는 사람!
20,000명 심리 상담, 코칭.
7G 직업(출판사 대표, 작가, 심리 상담사, 코칭 전문가, 강사, 유튜버, 한 집의 가장)
2,000권 독서.
7,000개 메모.
자기계발서 39권 출간.
39권 출간한 책으로 온라인 콘텐츠, 디지털 콘텐츠 제작하여 50층 온라인 건물주.
강의 6,000회.
45년간 습관 320가지 만듦.
강사 15년 차.
최보규상(대한민국 노벨상)을 만든 사람.
최보규를 알고 있는 사람들과 앞으로 만날 사람들에게 나다운 행복을 만들어 주기 위해 올바른 노력을 하는 사람.

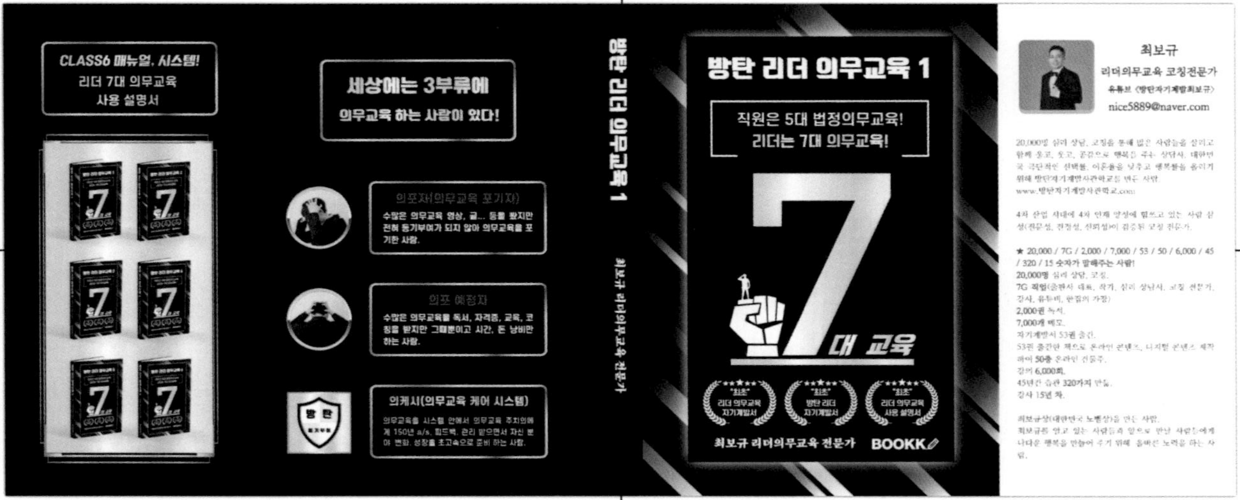
CLASS6 매뉴얼, 시스템!
리더 7대 의무교육
사용 설명서
세상에는 3부류에
의무교육 하는 사람이 있다!
의포자(의무교육 포기자)
수많은 의무교육 영상, 글... 등을 봤지만 전혀 동기부여가 되지 않아 의무교육을 포기한 사람.
의포 예정자
수많은 의무교육을 독서, 자격증, 교육, 코칭을 받지만 그때뿐이고 시간, 돈 낭비만 하는 사람.
의케시(의무교육 케어 시스템)
의무교육을 시스템 안에서 의무교육 주치의에게 150년 a/s, 피드백, 관리 받으면서 자신 분야 변화, 성장을 초고속으로 준비 하는 사람.
방탄 리더 의무교육 1
최보규 리더의무교육 전문가
방탄 리더 의무교육 1
직원은 5대 법정의무교육!
리더는 7대 의무교육!
7대 교육
"최초" 리더 의무교육 자기계발서
"최초" 방탄 리더 자기계발서
"최초" 리더 의무교육 사용 설명서
최보규 리더의무교육 전문가
BOOKK
최보규
리더의무교육 코칭전문가
유튜브 〈방탄자기계발최보규〉
nice5889@naver.com
★ 20,000 / 7G / 2,000 / 7,000 / 53 / 50 / 6,000 / 45 / 320 / 15 숫자가 말해주는 사람!
2,000권 독서.
7,000개 메모.
자기계발서 53권 출간.
강의 6,000회.
45년간 습관 320가지 만듦.
강사 15년 차.

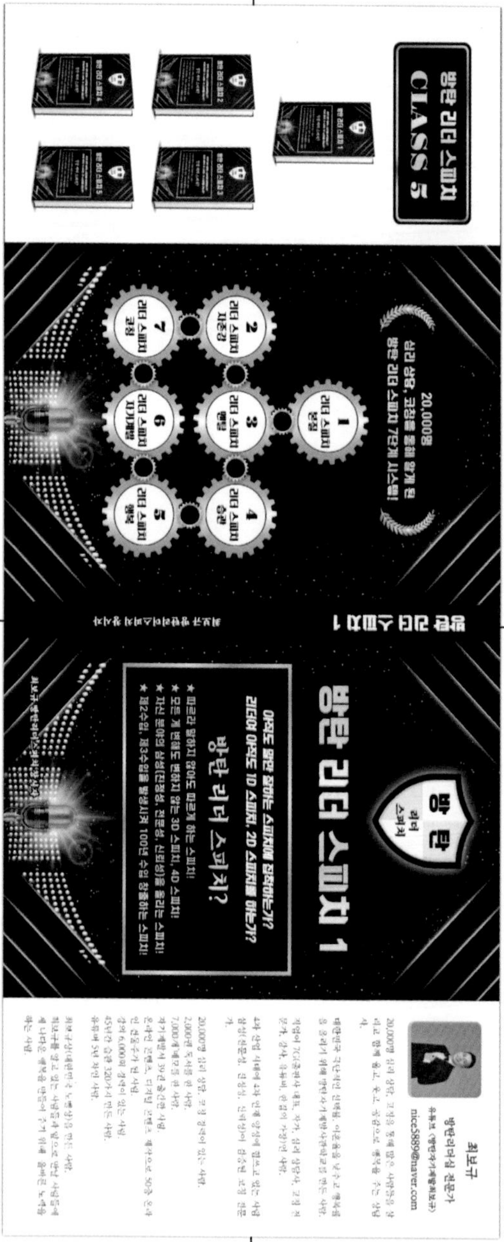
방탄 리더 스피치
CLASS 5
20,000명
심리 상담, 코칭을 통해 알게 된
방탄 리더 스피치 7단계 시스템!
1 리더 스피치 본질
2 리더 스피치 자존감
3 리더 스피치 멘탈
4 리더 스피치 습관
5 리더 스피치 행복
6 리더 스피치 자기계발
7 리더 스피치 코칭
방탄 리더 스피치 1
최보규 방탄리더스피치 창시자
방탄
리더 스피치
방탄 리더 스피치 1
아직도 말만 잘하는 스피치에 집착하는가?
리더여 아직도 1D 스피치, 2D 스피치를 하는가?
방탄 리더 스피치?
★ 따르라 말하지 않아도 따르게 하는 스피치!
★ 모든 게 변해도 변하지 않는 3D 스피치, 4D 스피치!
★ 자신 분야의 삼성(진정성, 전문성, 신뢰성)을 올리는 스피치!
★ 제2수입, 제3수입을 발생시켜 100년 수입 창출하는 스피치!
최보규 방탄리더스피치 창시자
최보규
방탄리더십 전문가
유튜브 〈방탄자기계발최보규〉
nice5889@naver.com
20,000명 심리 상담, 코칭을 통해 많은 사람들을 살리고 함께 울고, 웃고, 공감으로 행복을 주는 상담사.
대한민국 극단적인 선택률, 이혼율을 낮추고 행복률을 올리기 위해 방탄자기계발사관학교를 만든 사람.
직업이 7G(출판사 대표, 작가, 심리 상담사, 코칭 전문가, 강사, 유튜버, 한 집의 가장)인 사람.
4차 산업 시대에 4차 인재 양성에 힘쓰고 있는 사람
삼성(전문성, 진정성, 신뢰성)이 검증된 코칭 전문가.
20,000명 심리 상담, 코칭 경력이 있는 사람.
2,000권 독서를 한 사람.
7,000개 메모를 한 사람.
자기계발서 39권 출간한 사람.
온라인 콘텐츠, 디지털 콘텐츠 제작으로 50층 온라인 건물주가 된 사람.
강의 6,000회 경력이 있는 사람.
45년간 습관 320가지 만든 사람.
유튜버 5년 차인 사람.
최보규상(대한민국 노벨상)을 만든 사람.
최보규를 알고 있는 사람들과 앞으로 만날 사람들에게 나다운 행복을 만들어 주기 위해 올바른 노력을 하는 사람.

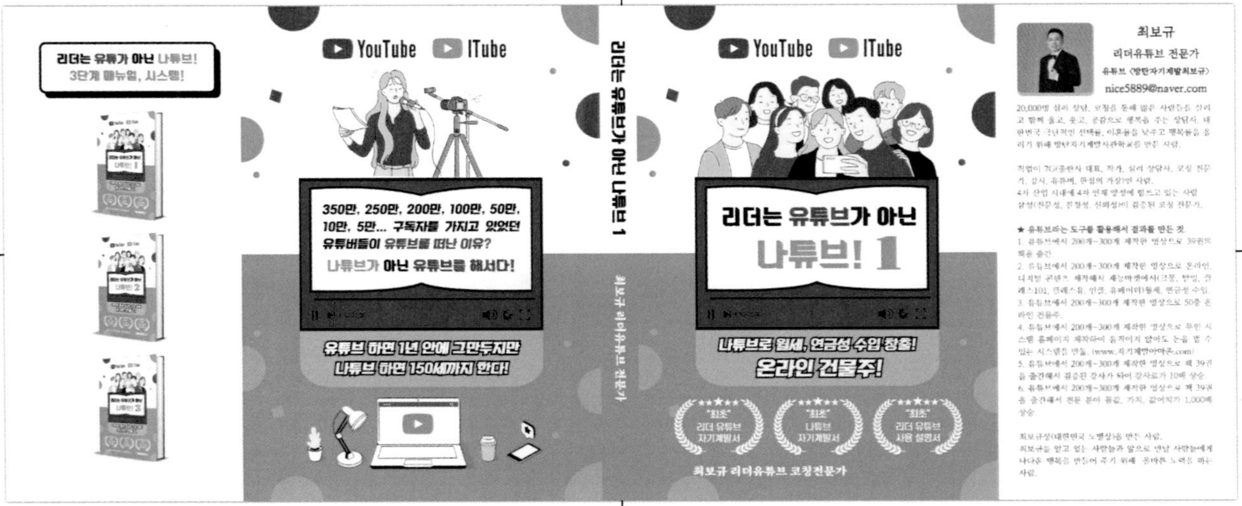
리더는 유튜가 아닌 나튜브!
3단계 매뉴얼, 시스템!
YouTube ITube
350만, 250만, 200만, 100만, 50만, 10만, 5만... 구독자를 가지고 있었던 유튜버들이 유튜브를 떠난 이유?
나튜브가 아닌 유튜브를 해서다!
유튜브 하면 1년 안에 그만두지만
나튜브 하면 150세까지 한다!
리더는 유튜브가 아닌 나튜브 1
최보규 리더유튜브 전문가
YouTube ITube
리더는 유튜브가 아닌
나튜브! 1
나튜브로 월세, 연금성 수입 창출!
온라인 건물주!
"최초" 리더 유튜브 자기계발서
"최초" 나튜브 자기계발서
"최초" 리더 유튜브 사용 설명서
최보규 리더유튜브 코칭전문가
최보규
리더유튜브 전문가
nice5889@naver.com
★ 유튜브라는 도구를 활용해서 결과를 만든 것.

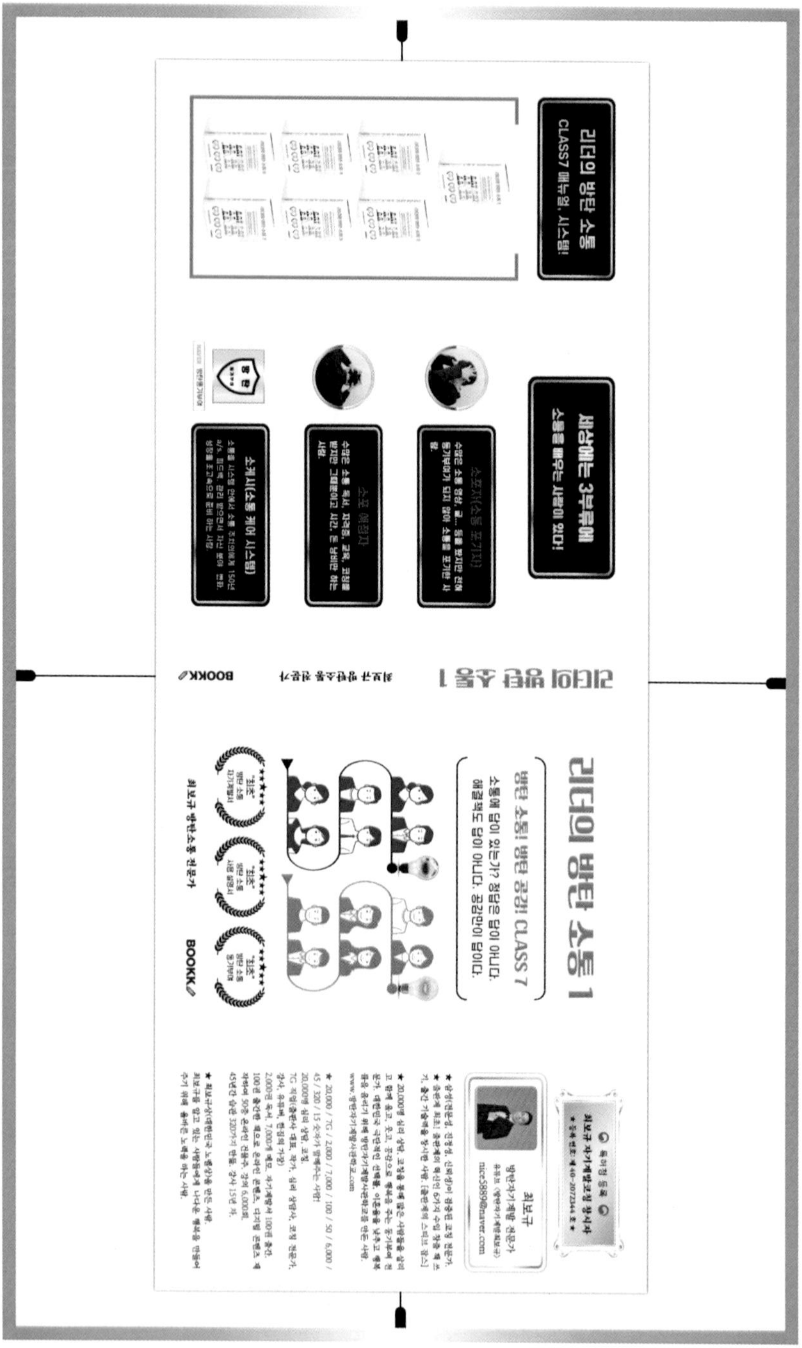
리더의 방탄 소통 1
방탄 소통! 방탄 공감! CLASS 7
소통에 답이 있는가? 정답은 답이 아니다.
해결책도 답이 아니다. 공감만이 답이다.
최보규 방탄소통 전문가
BOOKK
세상에는 3부류에
소통을 배우는 사람이 있다!
리더의 방탄 소통
CLASS7 매뉴얼, 시스템!

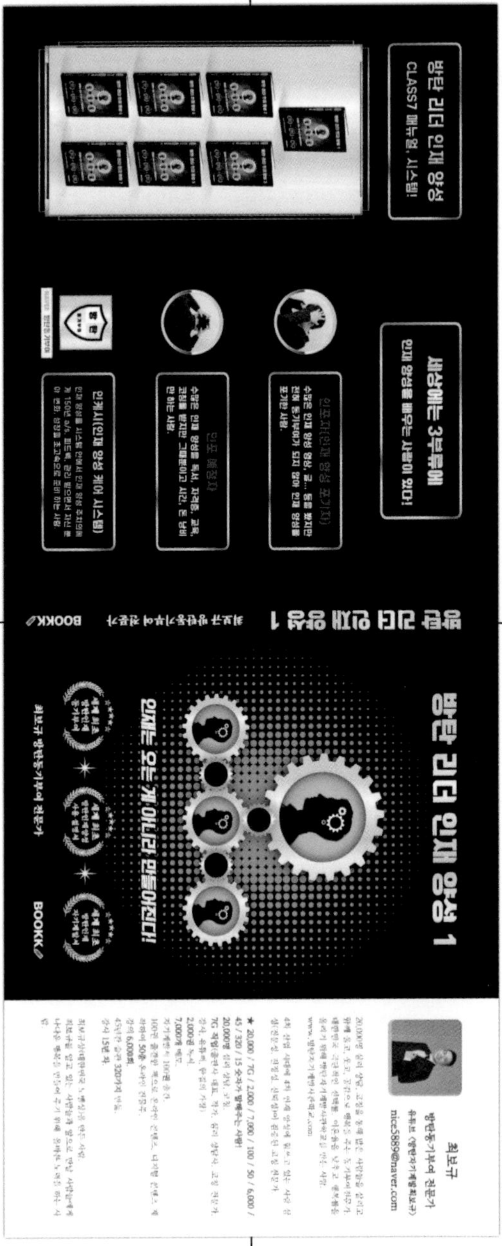
방탄 리더 인재 양성
CLASS7 매뉴얼, 시스템!
세상에는 3부류에
인재 양성을 배우는 사람이 있다!
인포자(인재 양성 포기자)
수많은 인재 양성 영상, 글... 등을 봤지만 전혀 동기부여가 되지 않아 인재 양성을 포기한 사람.
인포 예정자
수많은 인재 양성을 독서, 자격증, 교육, 코칭을 받지만 그때뿐이고 시간, 돈 낭비만 하는 사람.
인케시(인재 양성 케어 시스템)
방탄 리더 인재 양성 1
최보규 방탄동기부여 전문가
BOOKK
인재는 오는 게 아니라 만들어진다!
세계 최초 방탄인재 동기부여
세계 최초 방탄인재양성 사용 설명서
세계 최초 방탄인재 자기계발서
최보규
방탄동기부여 전문가
유튜브 〈방탄자기계발최보규〉
nice5889@naver.com
★ 20,000 / 7G / 2,000 / 7,000 / 100 / 50 / 6,000 / 45 / 320 / 15 숫자가 말해주는 사람!

리더십 PT
CLASS11 매뉴얼, 시스템!
세상에는 3부류에
리더십 PT를 배우는 사람이 있다!
리포자(리더십 PT 포기자)
수많은 리더십 PT 영상, 글... 등을 봤지만 전혀 동기부여가 되지 않아 리더십 PT를 포기한 사람.
리포 예정자
수많은 리더십 PT 독서, 자격증, 교육, 코칭을 받지만 그때뿐이고 시간, 돈 낭비만 하는 사람.
리케시(리더십 PT 케어 시스템)
리더십 PT 시스템 안에서 리더십 PT 주치의에게 150년 a/s, 피드백, 관리 받으면서 자신 분야 변화, 성장을 초고속으로 준비 하는 사람.
방탄동기부여
리더십 PT 1
최보규 방탄동기부여 전문가
BOOKK
리더십 PT 1
앞서가는 리더는 PT한다!
압도적 차이를 만드는
방탄 리더십 PT
세계 최초 방탄PT
리더십PT 사용 설명서
리더PT 지침서
최보규 방탄동기부여 전문가
BOOKK
특허청 등록
최보규 자기계발코칭 창시자
최보규
방탄자기계발 전문가
nice5889@naver.com
★ 80억 분의 1 검증된 동기부여 전문가
★ 삼성(전문성, 진정성, 신뢰성)이 검증된 코칭 전문가.
★ 출판계 최초! 출판계의 혁신인 6가지 수입 창출 책 쓰기, 출간 기술력을 창시한 사람. [출판계의 스티브 잡스]
★ 20,000명 심리 상담, 코칭을 통해 많은 사람들을 살리고 함께 울고, 웃고, 공감으로 행복을 주는 동기부여 전문가. 대한민국 극단적인 선택률, 이혼율을 낮추고 행복률을 올리기 위해 방탄자기계발사관학교를 만든 사람.
www.방탄자기계발사관학교.com
★ 20,000 / 7G / 2,000 / 7,000 / 100 / 50 / 6,000 / 45 / 320 / 15 숫자가 말해주는 사람!
20,000명 심리 상담, 코칭.
7G 직업(출판사 대표, 작가, 심리 상담사, 코칭 전문가, 강사, 유튜버, 한집의 가장)
2,000권 독서. 7,000개 메모. 자기계발서 100권 출간.
100권 출간한 책으로 온라인 콘텐츠, 디지털 콘텐츠 제작하여 50층 온라인 건물주. 강의 6,000회.
45년간 습관 320가지 만듦. 강사 15년 차.
★ 최보규상(대한민국 노벨상)을 만든 사람.
최보규를 알고 있는 사람들에게 나다운 행복을 만들어 주기 위해 올바른 노력을 하는 사람.

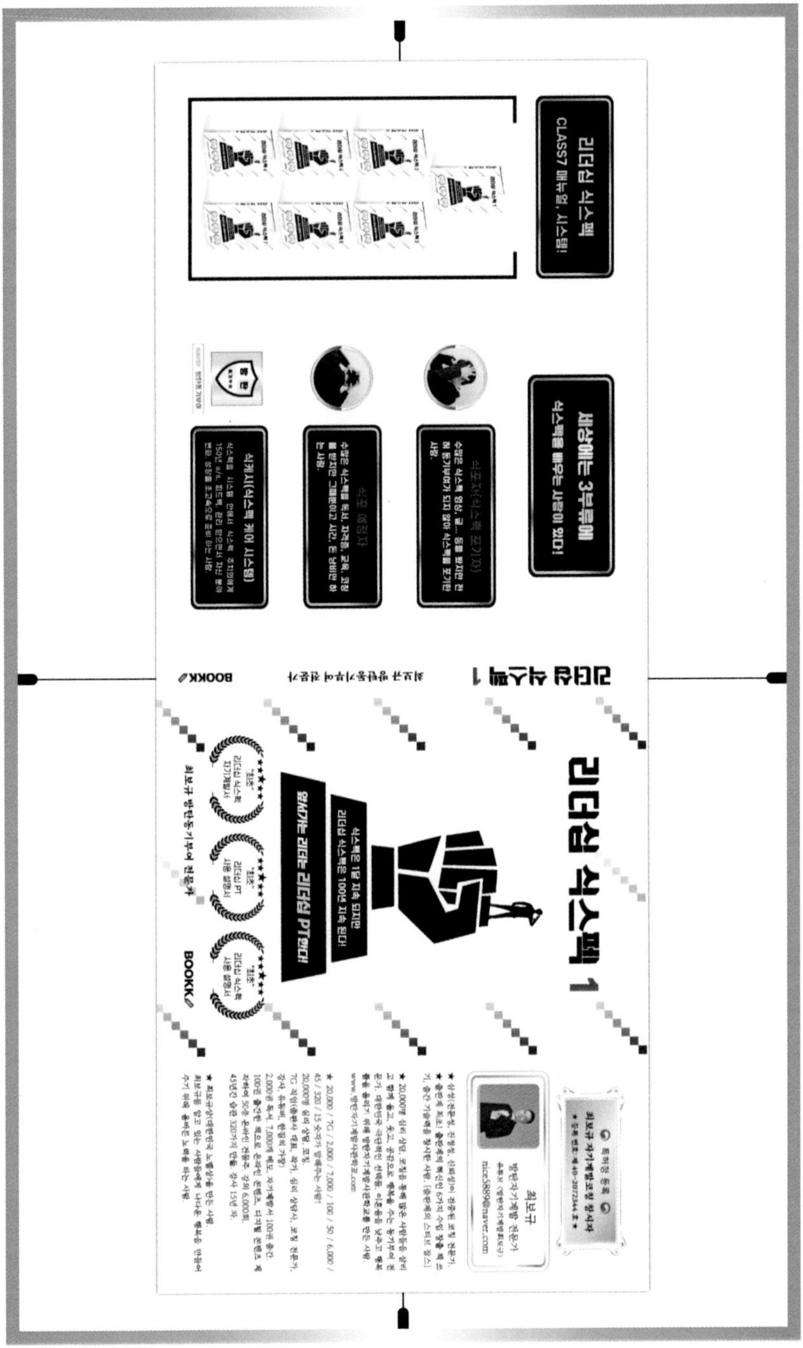
리더십 식스팩
CLASS7 매뉴얼, 시스템!
세상에는 3부류에
식스팩을 배우는 사람이 있다!
식포자(식스팩 포기자)
수많은 식스팩 영상, 글... 등을 봤지만 전혀 동기부여가 되지 않아 식스팩을 포기한 사람.
식후 예정자
수많은 식스팩을 독서, 자격증, 교육, 코칭을 받지만 그때뿐이고 시간, 돈 낭비만 하는 사람.
식케시(식스팩 케어 시스템)
식스팩을 시스템 안에서 식스팩 주치의에게 150년 a/s, 피드백, 관리 받으면서 자신 분야 변화, 성장을 초고속으로 준비 하는 사람.
리더십 식스팩 1
최보규 방탄동기부여 전문가
BOOKK
리더십 식스팩 1
식스팩은 1달 지속 되지만
리더십 식스팩은 100년 지속 된다!
앞서가는 리더는 리더십 PT한다!
"최초" 리더십 식스팩 자기계발서
"최초" 리더십 PT 사용 설명서
"최초" 리더십 식스팩 사용 설명서
최보규 방탄동기부여 전문가
BOOKK
특허청 등록
최보규 자기계발코칭 창시자
★ 등록 번호: 제 40-2072344 호 ★
최보규
방탄자기계발 전문가
유튜브 (방탄자기계발최보규)
nice5889@naver.com
★ 삼성(전문성, 진정성, 신뢰성)이 검증된 코칭 전문가.
★ 출판계 최초! 출판계의 혁신인 6가지 수입 창출 책 쓰기, 출간 기술력을 창시한 사람. [출판계의 스티브 잡스]
★ 20,000명 심리 상담, 코칭을 통해 많은 사람들을 살리고 함께 울고, 웃고, 공감으로 행복을 주는 동기부여 전문가. 대한민국 극단적인 선택률, 이혼율을 낮추고 행복률을 올리기 위해 방탄자기계발사관학교를 만든 사람.
www.방탄자기계발사관학교.com
★ 20,000 / 7G / 2,000 / 7,000 / 100 / 50 / 6,000 / 45 / 320 / 15 숫자가 말해주는 사람!
20,000명 심리 상담, 코칭.
7G 직업(출판사 대표, 작가, 심리 상담사, 코칭 전문가, 강사, 유튜버, 한집의 가장)
2,000권 독서. 7,000개 메모. 자기계발서 100권 출간.
100권 출간한 책으로 온라인 콘텐츠, 디지털 콘텐츠 제작하여 50종 온라인 건물주. 강의 6,000회.
45년간 습관 320가지 만듦. 강사 15년 차.
★ 최보규상(대한민국 노벨상)을 만든 사람.
최보규를 알고 있는 사람들에게 나다운 행복을 만들어 주기 위해 올바른 노력을 하는 사람.

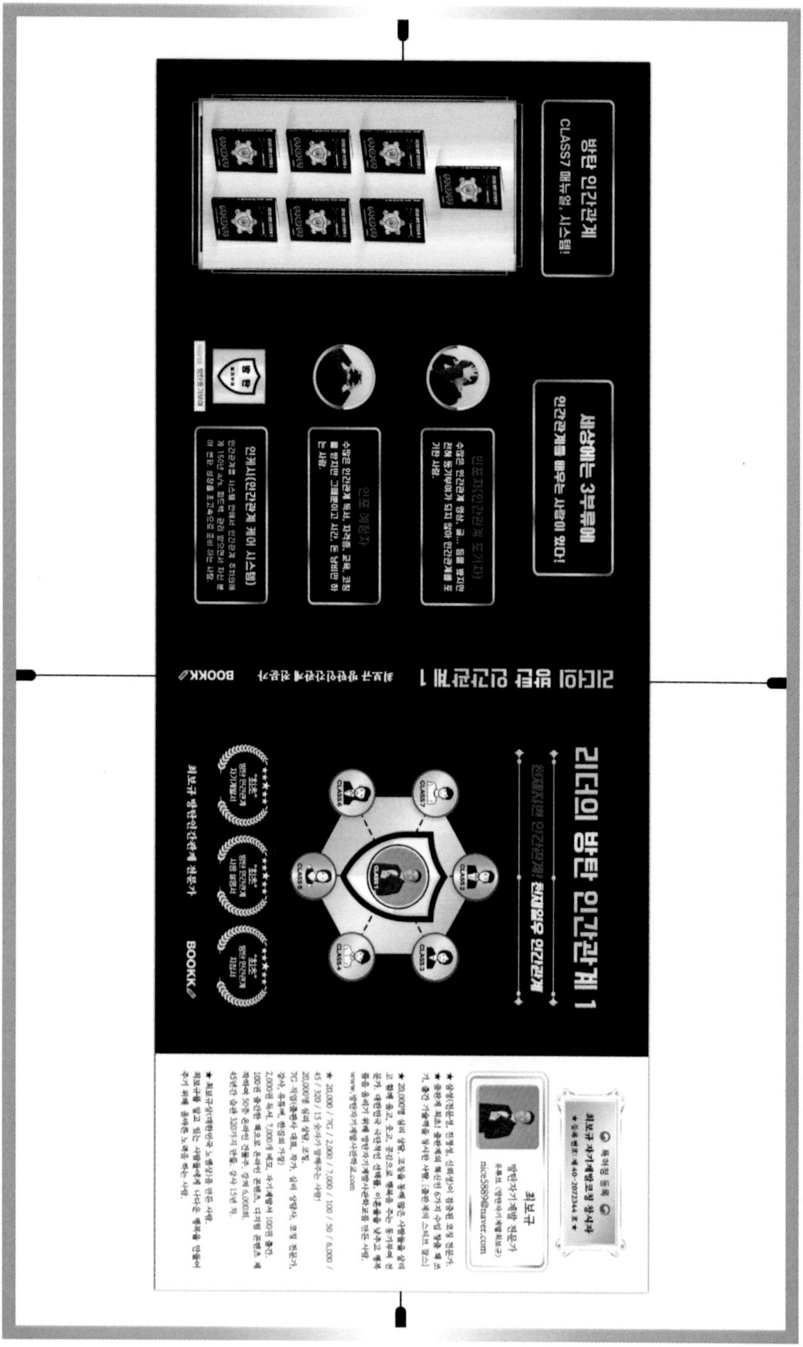
방탄 인간관계
CLASS7 매뉴얼, 시스템!
세상에는 3부류에
인간관계를 배우는 사람이 있다!
인포자(인간관계 포기자)
수많은 인간관계 영상, 글... 등을 봤지만 전혀 동기부여가 되지 않아 인간관계를 포기한 사람.
인포 예정자
수많은 인간관계 독서, 자격증, 교육, 코칭을 받지만 그때뿐이고 시간, 돈 낭비만 하는 사람.
인케시(인간관계 케어 시스템)
인간관계를 시스템 안에서 인간관계 주치의에게 150년 a/s, 피드백, 관리 받으면서 자신 분야 변화, 성장을 초고속으로 준비 하는 사람.
방탄동기부여
리더의 방탄 인간관계 1
최보규 방탄인간관계 전문가
BOOKK
리더의 방탄 인간관계 1
천재지변 인간관계! 천재일우 인간관계
CLASS 1
CLASS 2
CLASS 3
CLASS 4
CLASS 5
CLASS 6
CLASS 7
"최초" 방탄 인간관계 자기계발서
"최초" 방탄 인간관계 사용 설명서
"최초" 방탄 인간관계 지침서
최보규 방탄인간관계 전문가
BOOKK
특허청 등록
최보규 자기계발코칭 창시자
★ 등록 번호: 제 40-2072344 호 ★
최보규
방탄자기계발 전문가
유튜브 〈방탄자기계발최보규〉
nice5889@naver.com
★ 삼성(전문성, 진정성, 신뢰성)이 검증된 코칭 전문가.
★ 출판계 최초! 출판계의 혁신인 6가지 수입 창출 책 쓰기, 출간 기술책을 창시한 사람. [출판계의 스티브 잡스]
★ 20,000명 심리 상담, 코칭을 통해 많은 사람들을 살리고 함께 울고, 웃고, 공감으로 행복을 주는 동기부여 전문가. 대한민국 극단적인 선택률, 이혼율을 낮추고 행복률을 올리기 위해 방탄자기계발사관학교를 만든 사람.
www.방탄자기계발사관학교.com
★ 20,000 / 7G / 2,000 / 7,000 / 100 / 50 / 6,000 / 45 / 320 / 15 숫자가 말해주는 사람!
20,000명 심리 상담, 코칭.
7G 직업(출판사 대표, 작가, 심리 상담사, 코칭 전문가, 강사, 유튜버, 한집의 가장)
2,000권 독서, 7,000개 메모, 자기계발서 100권 출간.
100권 출간한 책으로 온라인 콘텐츠, 디지털 콘텐츠 제작하여 50종 온라인 건물주. 강의 6,000회.
45년간 습관 320가지 만듦. 강사 15년 차.
★ 최보규상(대한민국 노벨상)을 만든 사람.
최보규를 알고 있는 사람들에게 나다운 행복을 만들어 주기 위해 올바른 노력을 하는 사람.

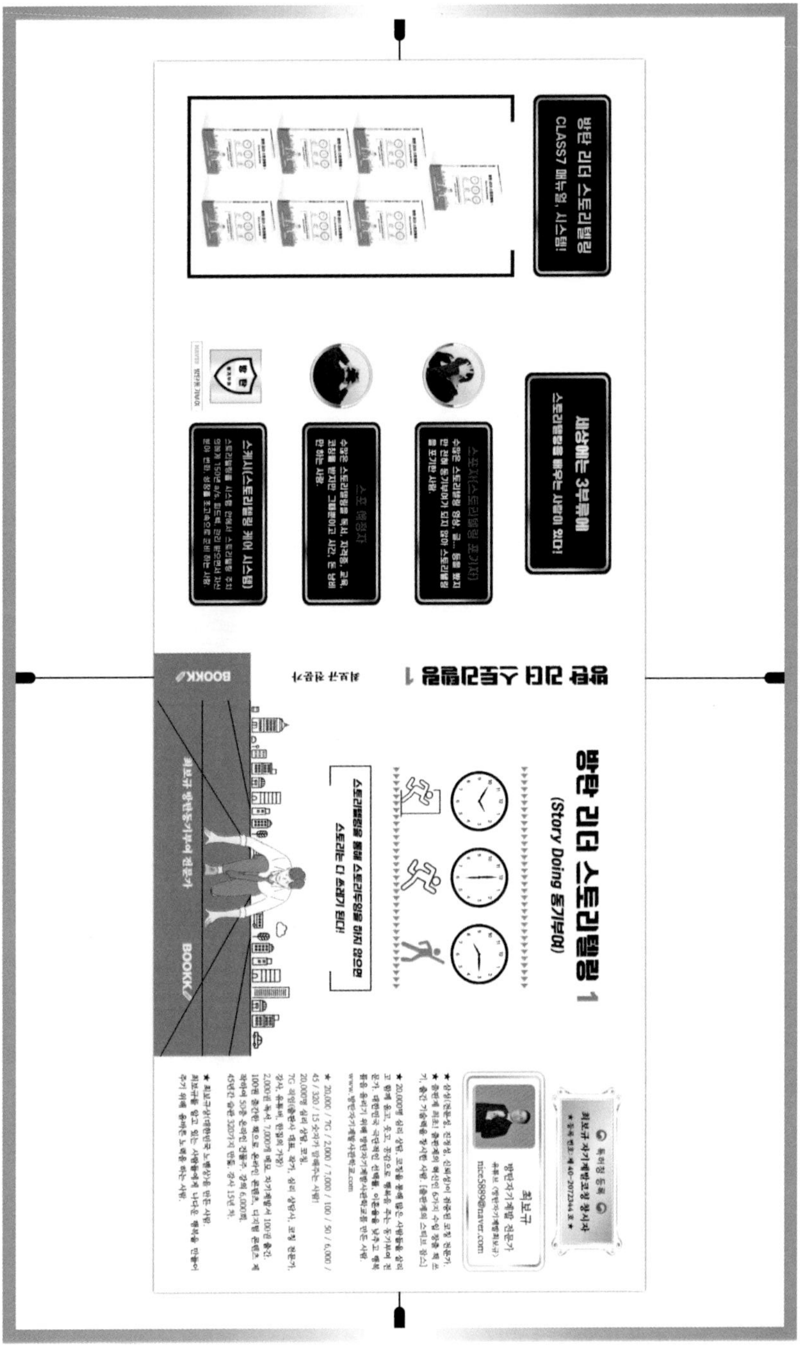
방탄 리더 스토리텔링
CLASS7 매뉴얼, 시스템!
세상에는 3부류에
스토리텔링을 배우는 사람이 있다!
스포자(스토리텔링 포기자)
수많은 스토리텔링 영상, 글... 등을 봤지만 전혀 동기부여가 되지 않아 스토리텔링을 포기한 사람.
수많은 스토리텔링을 독서, 자격증, 교육, 코칭을 받지만 그때뿐이고 시간, 돈 낭비만 하는 사람.
스케시(스토리텔링 케어 시스템)
스토리텔링을 시스템 안에서 스토리텔링 주치의에게 150년 a/s, 피드백, 관리 받으면서 자신 분야 변화, 성장을 초고속으로 준비 하는 사람.
방탄 리더 스토리텔링 1
최보규 전문가
방탄 리더 스토리텔링 1
(Story Doing 동기부여)
스토리텔링을 통해 스토리두잉을 하지 않으면
스토리는 다 쓰레기 된다!
최보규 방탄동기부여 전문가
BOOKK
특허청 등록
최보규 자기계발코칭 창시자
★ 등록 번호: 제 40-2072344 호 ★
최보규
방탄자기계발 전문가
유튜브 (방탄자기계발최보규)
nice5889@naver.com
★ 삼성(전문성, 진정성, 신뢰성)이 검증된 코칭 전문가.
★ 출판계 최초! 출판계의 혁신인 6가지 수입 창출 책 쓰기, 출간 기술력을 창시한 사람. [출판계의 스티브 잡스]
★ 20,000명 심리 상담, 코칭을 통해 많은 사람들을 살리고 함께 울고, 웃고, 공감으로 행복을 주는 동기부여 전문가. 대한민국 극단적인 선택률, 이혼율을 낮추고 행복률을 올리기 위해 방탄자기계발사관학교를 만든 사람.
www.방탄자기계발사관학교.com
★ 20,000 / 7G / 2,000 / 7,000 / 100 / 50 / 6,000 / 45 / 320 / 15 숫자가 말해주는 사람!
20,000명 심리 상담, 코칭.
7G 직업(출판사 대표, 작가, 심리 상담사, 코칭 전문가, 강사, 유튜버, 한집의 가장)
2,000권 독서. 7,000개 메모. 자기계발서 100권 출간.
100권 출간한 책으로 온라인 콘텐츠, 디지털 콘텐츠 제작하여 50층 온라인 건물주. 강의 6,000회.
45년간 습관 320가지 만듦. 강사 15년 차.
★ 최보규상(대한민국 노벨상)을 만든 사람.
최보규를 알고 있는 사람들에게 나다운 행복을 만들어 주기 위해 올바른 노력을 하는 사람.

세계 최초
나다운 방탄습관블록
최보규 지음
BOOKK
지금까지 알고 있는 습관 공식은 잊어라!
당신이 그토록 찾고 있던 습관 공식!
세상 모든 것이 변해도
나다운 방탄습관블록은 변하지 않는다.
습관 아인슈타인!
세상 모든 것이 바뀌어도 나다움의 본질은 바뀌지 않는다.
세상 모든 습관 공식이 바뀌어도
나다운 방탄습관블록은 바뀌지 않는다.
당신이 우울한 이유는 우울한 습관 때문에
당신이 행복한 이유는 행복한 습관 덕분에
당신이 돈을 못 버는 이유는 돈 못 버는 습관 때문에
당신이 돈을 버는 이유는 돈 버는 습관 덕분에
나다운 방탄습관블록
최보규 지음
BOOKK

나다운 방탄 카피 사전
마데카솔 방탄 카피
후시딘 방탄 카피
세상 속 상처
현실 속 상처
노제광
최보규
BOOKK
노제광 · 최보규 지음
노제광 지음
최보규 지음

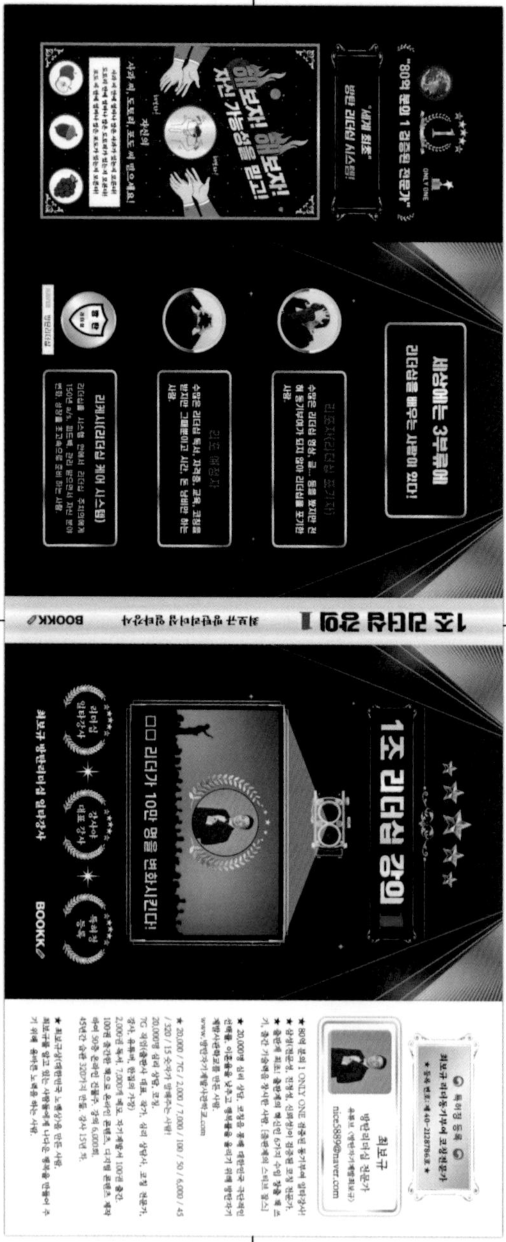
1조 리더십 강의
□□ 리더가 10만 명을 변화시킨다!
최보규 방탄리더십 일타강사
BOOKK
세상에는 3부류에
리더십을 배우는 사람이 있다!

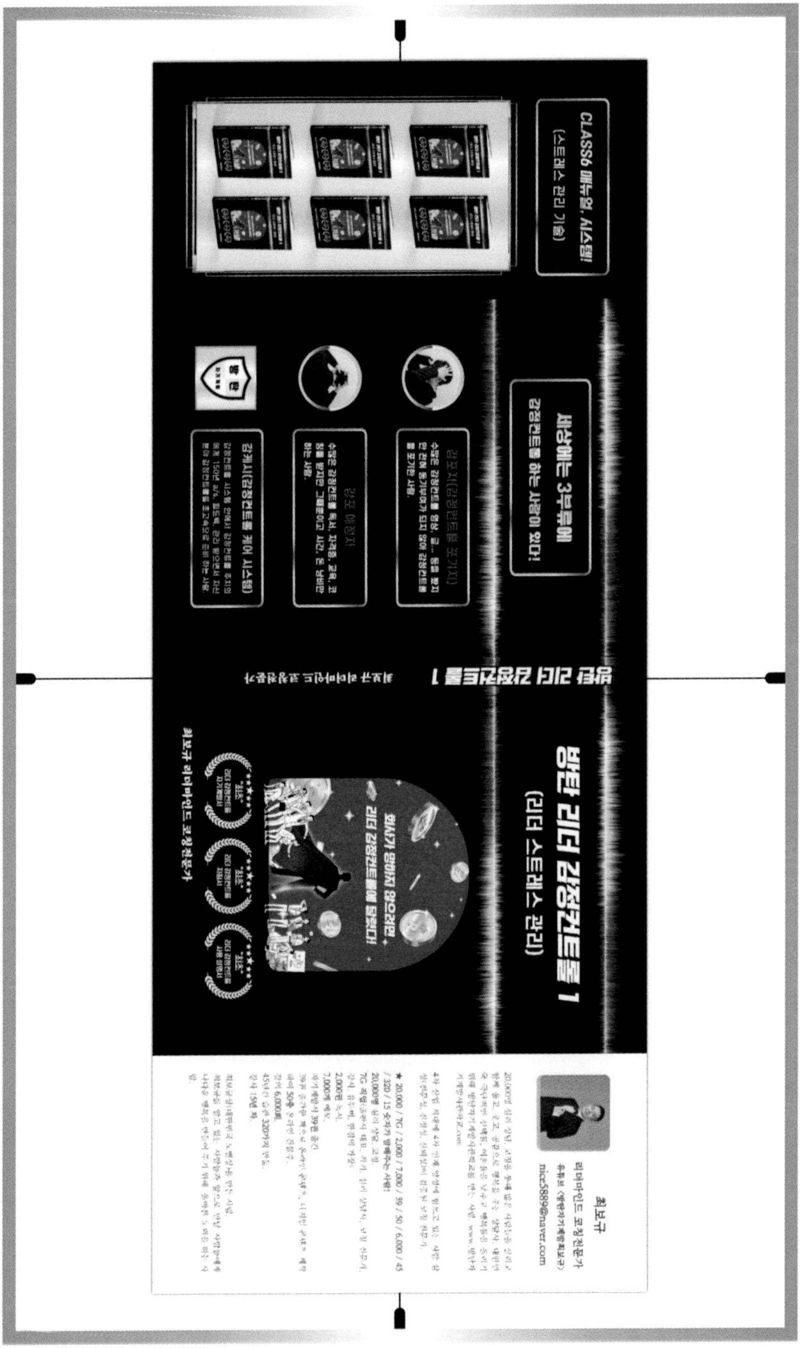
방탄 리더 감정컨트롤 1
(리더 스트레스 관리)
회사가 망하지 않으려면 리더 감정컨트롤에 달렸다!
최보규 리더마인드 코칭전문가
세상에는 3부류에 감정컨트롤 하는 사람이 있다!
감포자(감정컨트롤 포기자)
수많은 감정컨트롤 영상, 글... 등을 봤지만 전혀 동기부여가 되지 않아 감정컨트롤을 포기한 사람.
감포 예정자
수많은 감정컨트롤 독서, 자격증, 교육, 코칭을 받지만 그때뿐이고 시간, 돈 낭비만 하는 사람.
감케시(감정컨트롤 케어 시스템)
CLASS6 매뉴얼, 시스템!
(스트레스 관리 기술)
최보규
리더마인드 코칭전문가
유튜브 〈방탄자기계발최보규〉
nice5889@naver.com
★ 20,000 / 7G / 2,000 / 7,000 / 39 / 50 / 6,000 / 45 / 320 / 15 숫자가 말해주는 사람!

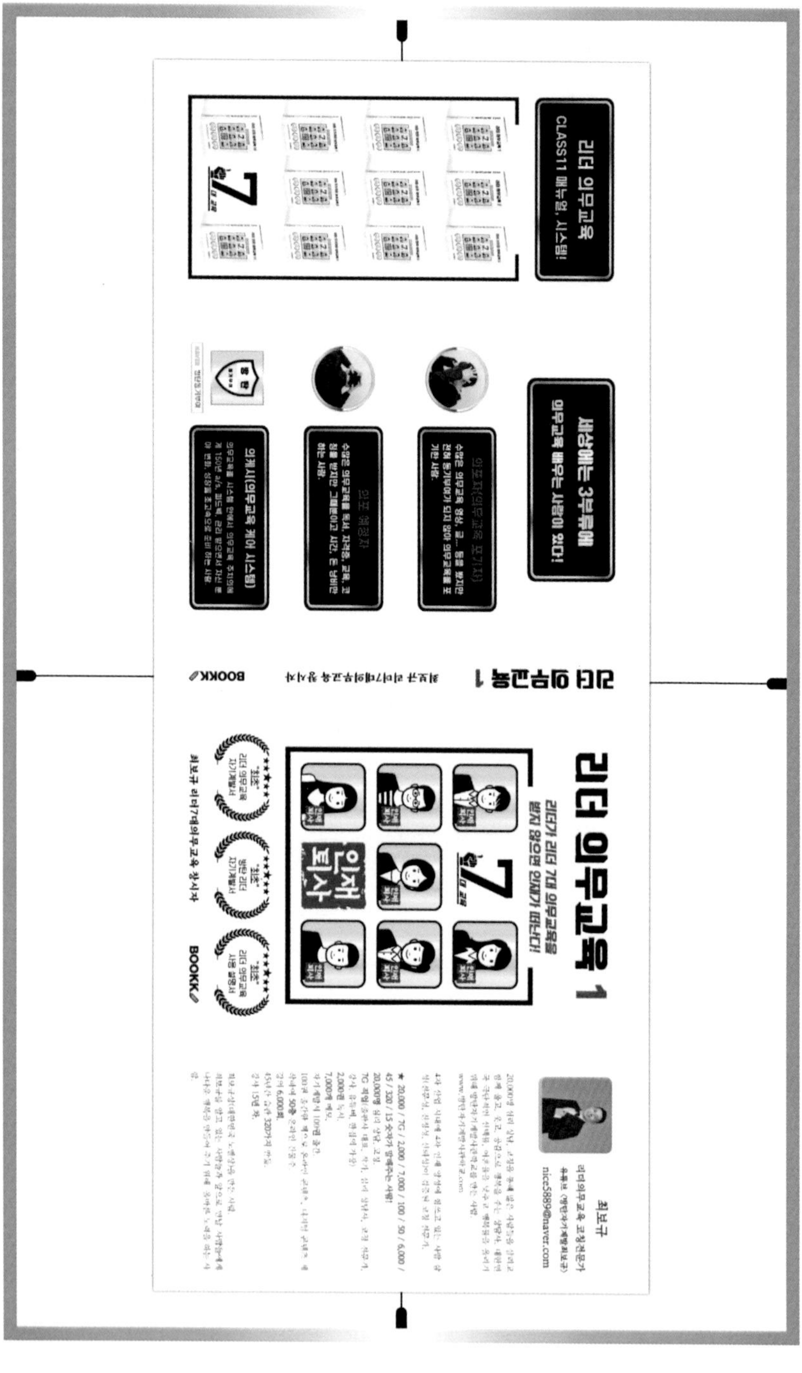
리더 의무교육
CLASS11 매뉴얼, 시스템!
세상에는 3부류에
의무교육 배우는 사람이 있다!
의포자(의무교육 포기자)
수많은 의무교육 영상, 글... 등을 봤지만 전혀 동기부여가 되지 않아 의무교육을 포기한 사람.
의포 해정자
수많은 의무교육을 독서, 자격증, 교육, 코칭을 받지만 그때뿐이고 시간, 돈 낭비만 하는 사람.
의게시(의무교육 케어 시스템)
의무교육을 시스템 안에서 의무교육 주치의에게 150년 a/s, 피드백, 관리 받으면서 자신 분야 변화, 성장을 초고속으로 준비 하는 사람.
리더 의무교육 1
최보규 리더7대의무교육 창시자
BOOKK
리더 의무교육 1
리더가 리더 7대 의무교육을 받지 않으면 인재가 떠난다!
인재 퇴사
"최초" 리더 의무교육 자기계발서
"최초" 방탄 리더 자기계발서
"최초" 리더 의무교육 사용 설명서
최보규 리더7대의무교육 창시자
BOOKK
최보규
리더의무교육 코칭전문가
유튜브 (방탄자기계발최보규)
nice5889@naver.com
★ 20,000 / 7G / 2,000 / 7,000 / 100 / 50 / 6,000 / 45 / 320 / 15 숫자가 말해주는 사람!

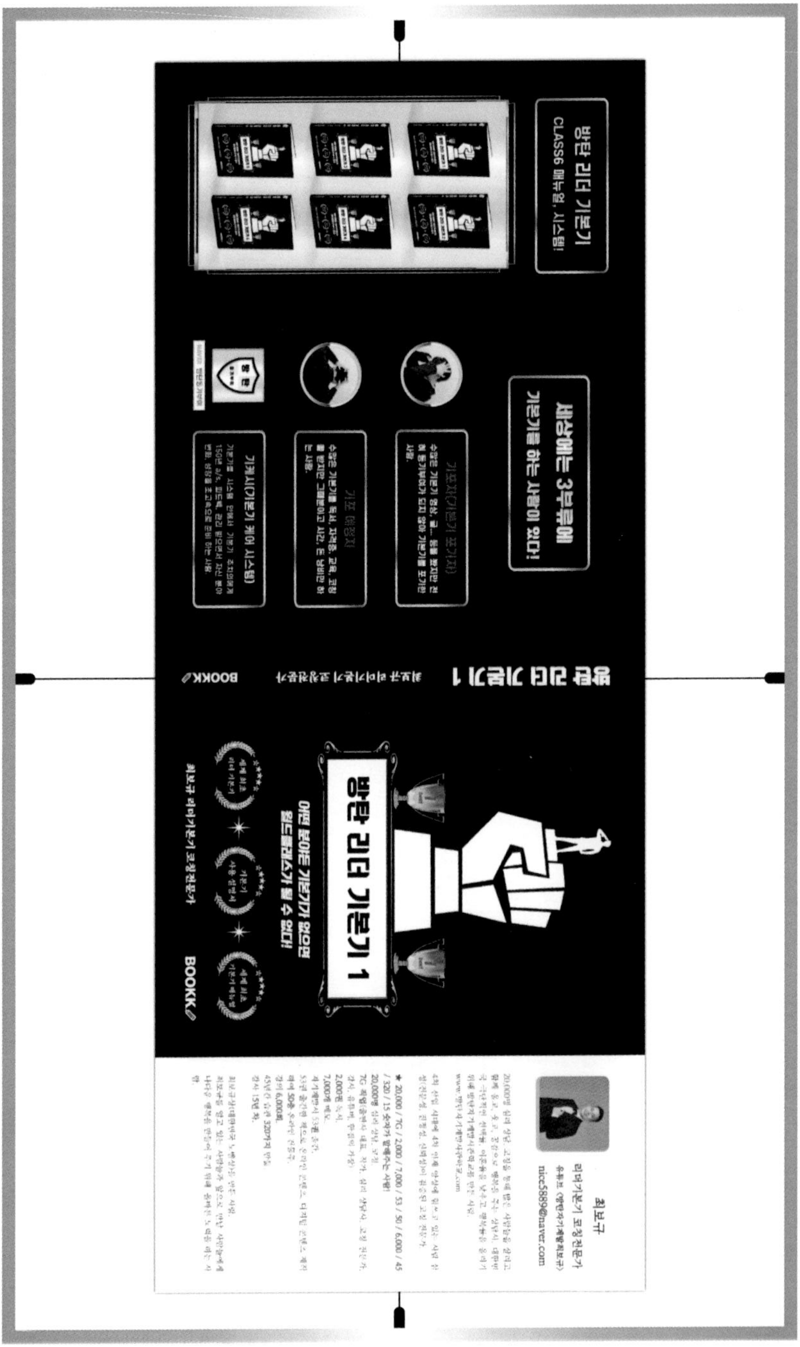
방탄 리더 기본기
CLASS6 매뉴얼, 시스템!
세상에는 3부류에
기본기를 하는 사람이 있다!
기포자(기본기 포기자)
수많은 기본기 영상, 글... 등을 봤지만 전혀 동기부여가 되지 않아 기본기를 포기한 사람.
기포 예정자
수많은 기본기를 독서, 자격증, 교육, 코칭을 받지만 그때뿐이고 시간, 돈 낭비만 하는 사람.
기케시(기본기 케어 시스템)
기본기를 시스템 안에서 기본기 주치의에게 150년 a/s, 피드백, 관리 받으면서 자신 분야 변화, 성장을 초고속으로 준비 하는 사람.
방탄 리더 기본기 1
최보규 리더기본기 코칭전문가
BOOKK
방탄 리더 기본기 1
어떤 분야든 기본기가 없으면
월드클래스가 될 수 없다!
세계 최초 리더 기본기
기본기 사용 설명서
세계 최초 기본기 매뉴얼
최보규 리더기본기 코칭전문가
BOOKK
최보규
리더기본기 코칭전문가
유튜브 〈방탄자기계발최보규〉
nice5889@naver.com
★ 20,000 / 7G / 2,000 / 7,000 / 53 / 50 / 6,000 / 45 / 320 / 15 숫자가 말해주는 사람!

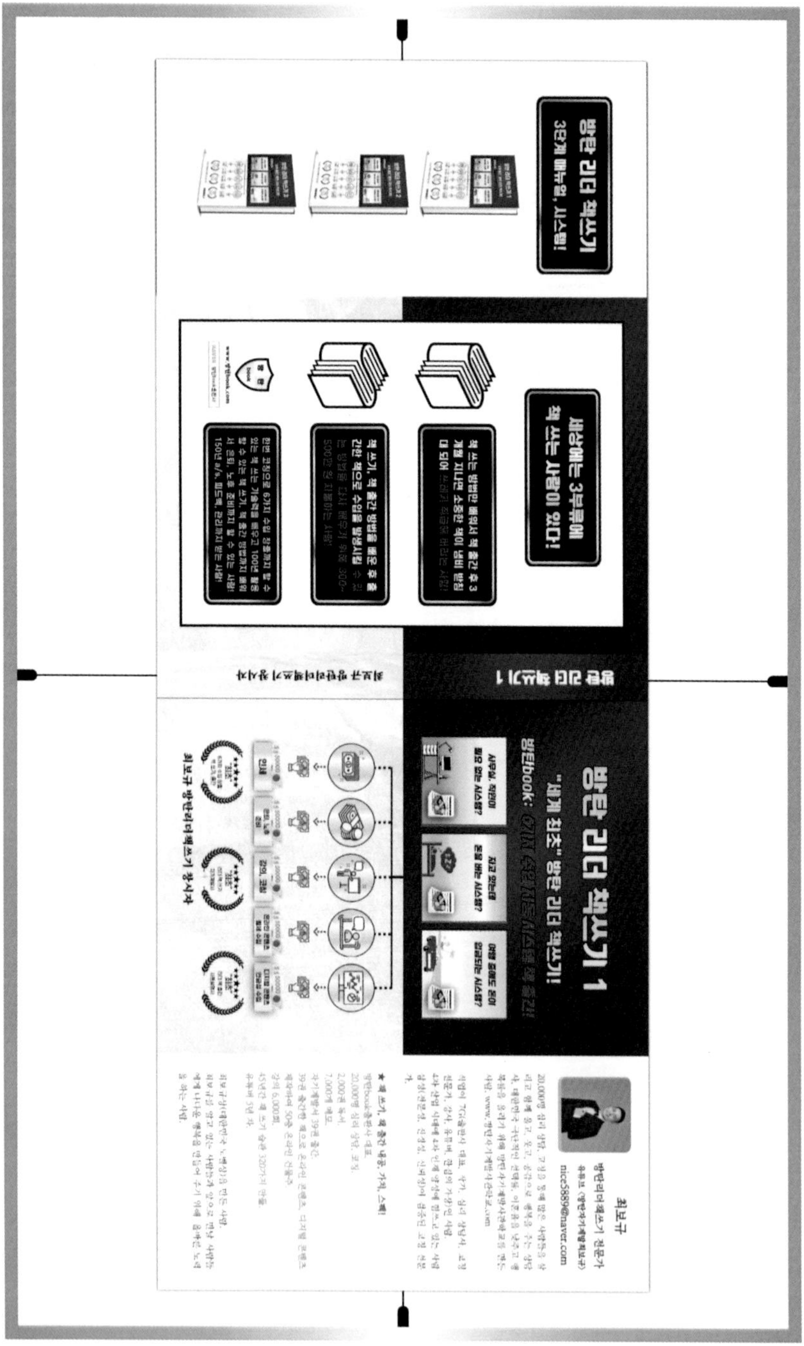

방탄 리더 책쓰기
3단계 매뉴얼, 시스템!
세상에는 3부류에
책 쓰는 사람이 있다!
책 쓰는 방법만 배워서 책 출간 후 3개월 지나면 소중한 책이 냄비 받침대 되어
책 쓰기, 책 출간 방법을 배운 후 출간한 책으로 수입을 발생시킬
한번 코칭으로 6가지 수입 창출까지 할 수 있는 책 쓰는 기술력을 배우고 100년 활용할 수 있는 책 쓰기, 책 출간 방법까지 배워서 은퇴, 노후 준비까지 할 수 있는 사람! 150년 a/s, 피드백, 관리까지 받는 사람!
방탄 리더 책쓰기 1
최보규 방탄리더책쓰기 창시자
방탄 리더 책쓰기 1
"세계 최초" 방탄 리더 책쓰기!
방탄book:
사무실, 직원이 필요 없는 시스템?
자고 있는데 돈을 버는 시스템?
여행 중에도 돈이 입금되는 시스템?
인세
강의, 코칭
최보규 방탄리더책쓰기 창시자
최보규
방탄리더책쓰기 전문가
유튜브 〈방탄자기계발최보규〉
nice5889@naver.com
★ 책 쓰기, 책 출간 내공, 가치, 스펙!

날개 표지 디자인 샘플

날개 표지 이미지

⑤ ④ ③ ② ①

출간한 책 이미지

날개 표지 디자인 설명과 날개 표지 디자인 제작했던 샘플을 보니 어떤 생각이 드는가?

20,000명 심리 상담, 코칭 하면서 쌓인 내공과 종이책 150권, 전자책 250권 총 400권 출간했던 내공으로 당신이 지금 어떤 생각이 들었고 어떤 궁금증이 생기는지 맞혀 보겠다.

"앞에서 늘 강조했던 마우(마우스만 움직일 줄 아는 우주 초보) 실력으로 책 앞면 표지, 책 3D 입체 표지, 책 날개 표지까지 가능하다고? 믿어지지가 않은데? 진짜 마우 실력으로 가능하다면 이건 대박이다. 방탄book기술력은 무조건 배워야 되고 코칭 받고 싶다. 어떤 책 보다 디테일하고 정성스러운 설명들을 보니 최보규 방탄book 코칭전문가님의 삼성(진정성, 전문성, 신뢰성)과 종이책 150권, 전자책 250권 총 400권 출간했던 내공이 느껴진다. 혼자서도 할 수 있는 설명인데... 아무리 쉬운 설명이라도 혼자 하기가 쉽지 않을 거 같은데..."

단언컨대 책 쓰기, 책 출간 그 어떤 책도 이렇게까지 디테일하고 쉽게 따라 할 수 있게 설명을 해놓은 책이 없다. 그래서 이 책 보는 사람이라면 천재일우(천 년에 한 번 만난다는 뜻으로 좀처럼 만나기 어려운 기회) 온 것이니 조상에서 감사하고 "내가 인생을 지금까지 잘 살아서 이런 기회가 오는구나."라는 마음으로 제대로 배우길 바란다.

아무리 쉬운 것도 처음 시도하는 것은 우주에서 가장 어려운 것이다. 사용 설명서만 들어도 척척척 하는 사람은 극히 드물다. 대부분 사람들은 하는 방법을 직접 설명을 들어야만 제대로 한다는 것이다.

시간, 돈 낭비를 줄이는 최고의 방법은 한번 배울 때 검증된 전문가에게 제대로 배우는 것이다.

당신에게 망고보드는

천재일우

7.

PPT에서 표지 날개 디자인

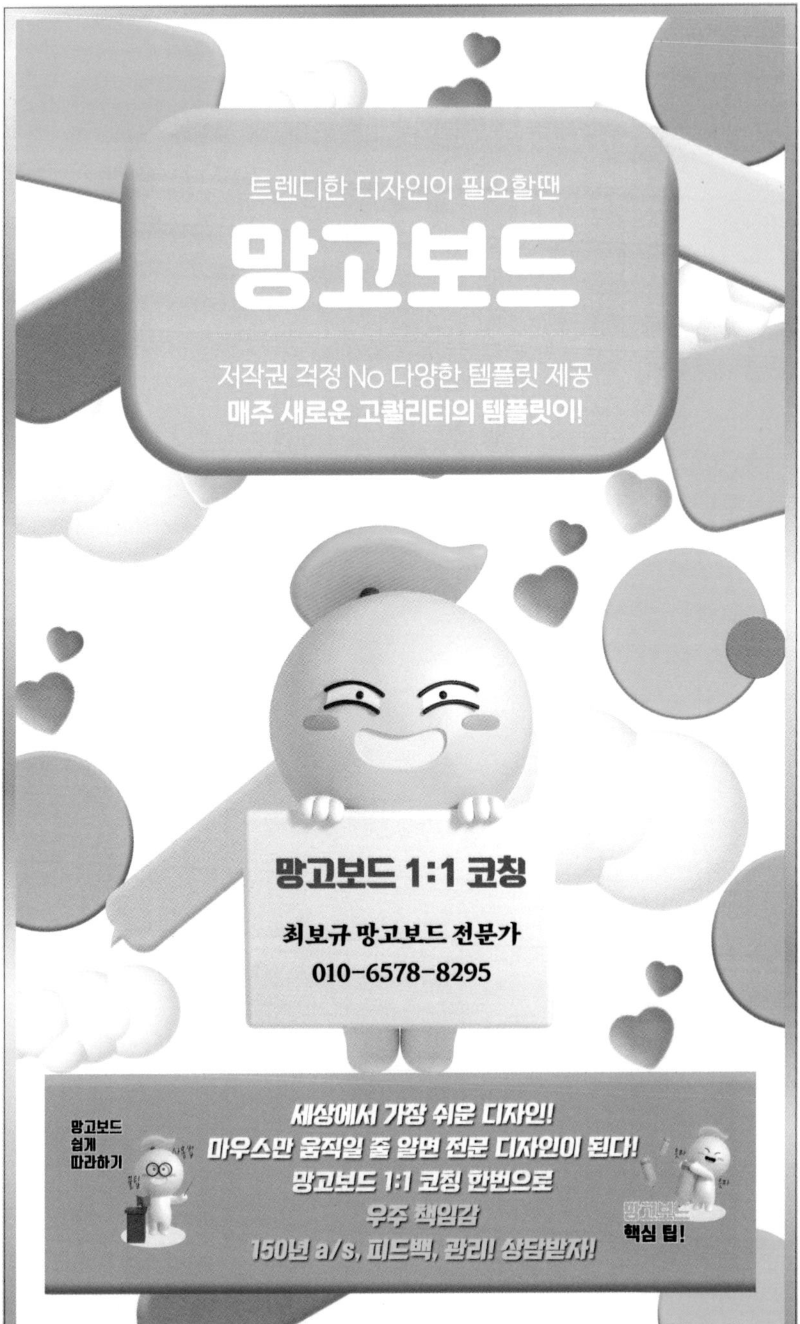

트렌디한 디자인이 필요할땐
망고보드
저작권 걱정 No 다양한 템플릿 제공
매주 새로운 고퀄리티의 템플릿이!
망고보드 1:1 코칭
최보규 망고보드 전문가
010-6578-8295
망고보드
쉽게
따라하기
세상에서 가장 쉬운 디자인!
마우스만 움직일 줄 알면 전문 디자인이 된다!
망고보드 1:1 코칭 한번으로
우주 책임감
150년 a/s, 피드백, 관리! 상담받자!
핵심 팁!

PPT에서 표지 날개 디자인

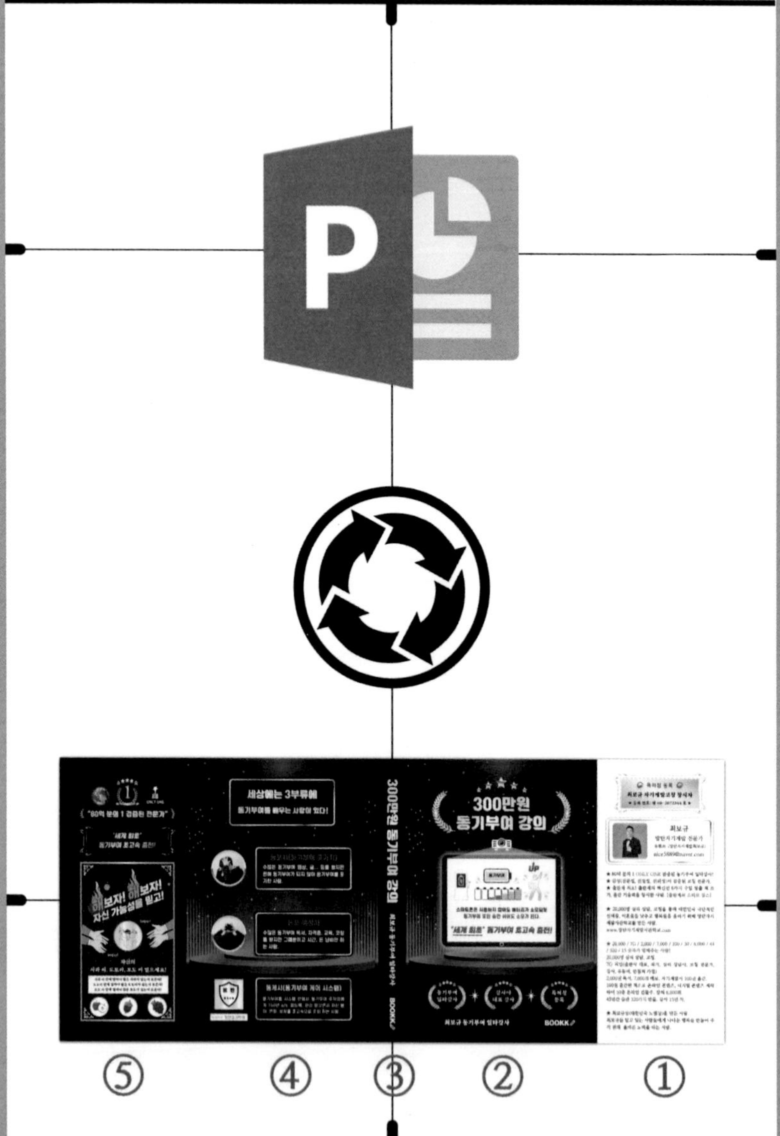

7. PPT에서 표지 날개 디자인

망고보드에서 책 앞면 표지 디자인을 제작하면 책날개 표지도 망고보드에서 해결을 할 수 있지만 마우(마우스만 움직일 줄 아는 우주 초보)들을 위해서 PPT에서 표지 날개 디자인하는 방법을 설명하겠다.

표지도 PPT에서 만들 수 있다. 하지만 저작권 문제, 디자인 퀄리티(Quality) 저하로 인해 표지 디자인은 무료인 미리캔버스, 캔바(Canva), 유료인 망고보드에서 만들길 바란다. PPT에서 책 표지 디자인을 퀄리티(Quality)있게 제작하려면 PPT실력이 상급은 되어야 한다.
PPT실력이 마우라면 필자처럼 유료인 망고보드에서 퀄리티(Quality)있는 디자인을 전문가처럼 만들 수 있다.

《300만원 동기부여 강의》 책으로 책날개 디자인을 하나씩(①번 ~ ⑤번 제작) 만들었다는 가정 하에 설명하겠다.

PPT에서 표지 날개 디자인

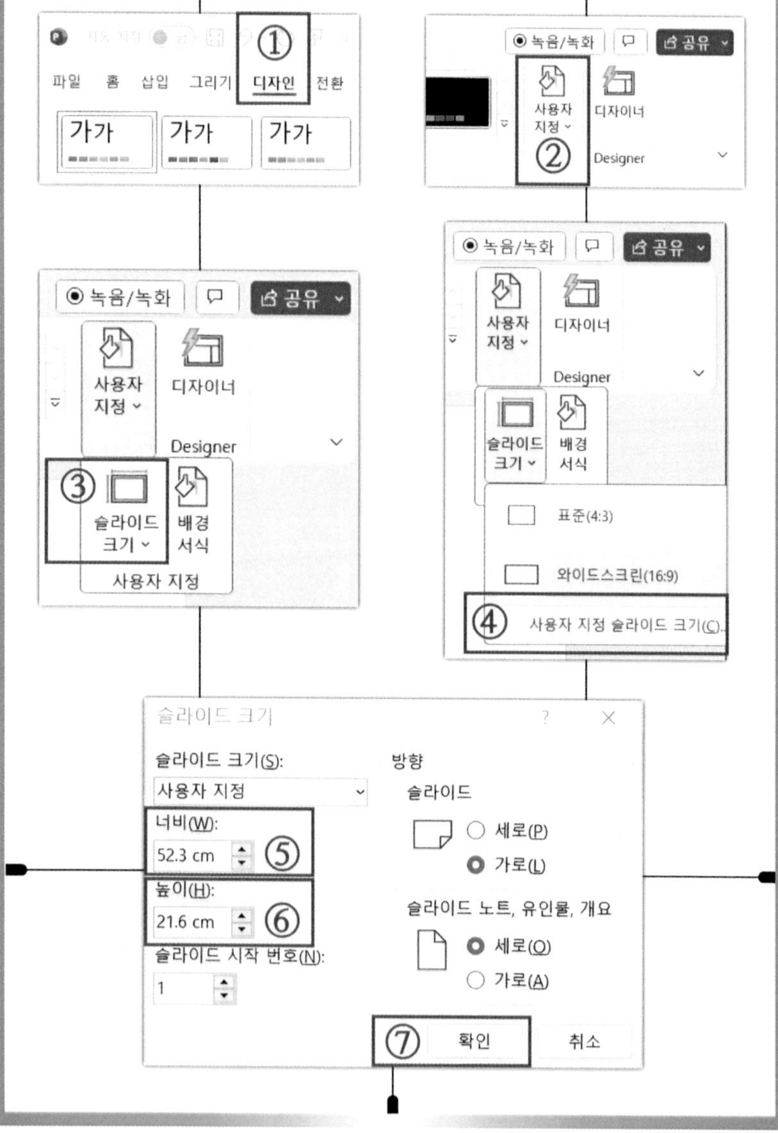

① 디자인
② 사용자 지정
③ 슬라이드 크기
④ 사용자 지정 슬라이드 크기
⑤ 너비 52.30cm (책 표지 날개 전체 너비 5,230mm)
⑥ 높이 21.6cm (책 표지 날개 전체 높이 2,160mm)
⑦ 확인 누르면 너비 52.30cm * 높이 21.6cm의 슬라이드 박스가 생긴다.

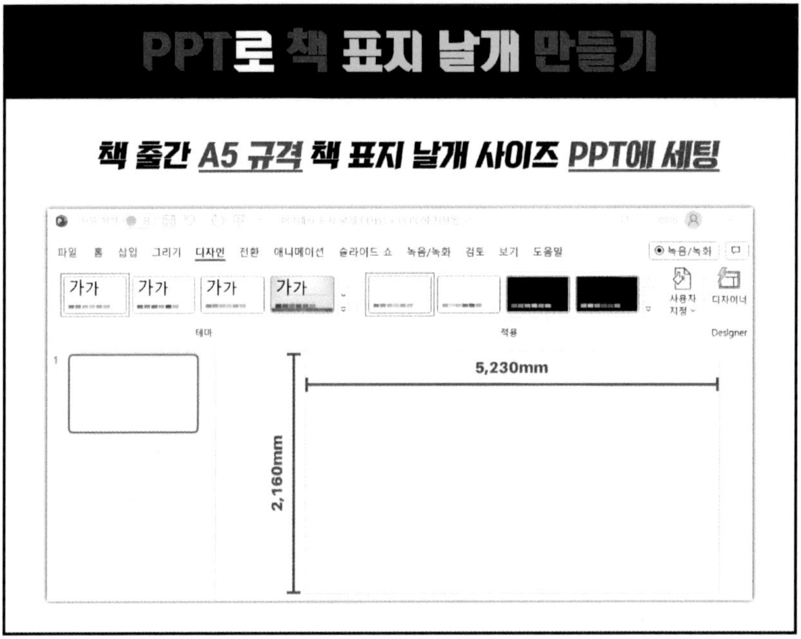

PPT에서 표지 날개 디자인

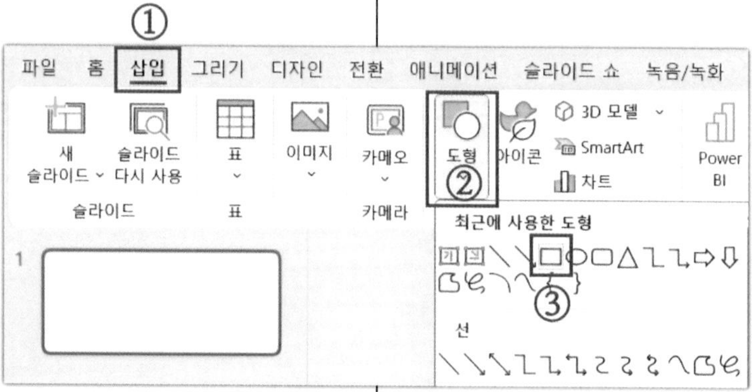
①
파일
홈
삽입
그리기
디자인
전환
애니메이션
슬라이드 쇼
녹음/녹화
새 슬라이드
슬라이드 다시 사용
표
이미지
카메오
도형
아이콘
3D 모델
SmartArt
차트
Power BI
②
슬라이드
표
카메라
최근에 사용한 도형
③
선

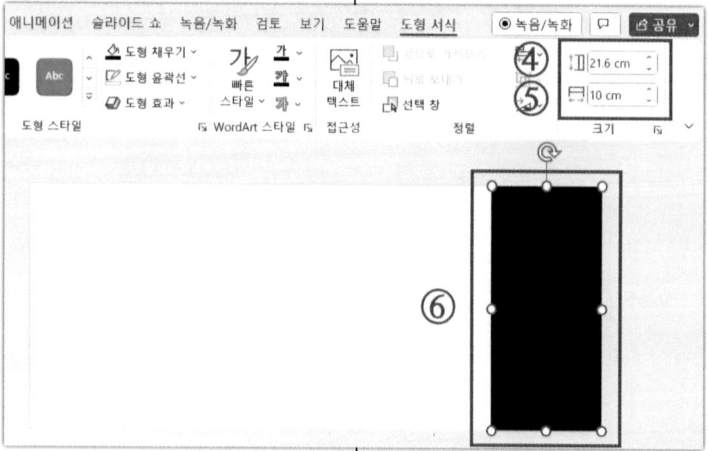
애니메이션
슬라이드 쇼
녹음/녹화
검토
보기
도움말
도형 서식
녹음/녹화
공유
도형 채우기
도형 윤곽선
도형 효과
빠른 스타일
대체 텍스트
선택 창
④
⑤
21.6 cm
10 cm
도형 스타일
WordArt 스타일
접근성
정렬
크기
⑥

① 삽입
② 도형
③ 직사각형
④ 높이 (21.6cm)
⑤ 너비 (10cm)
⑥ 종이책 표지 날개(작가 소개, 작가 스펙, 책의 내공, 책의 가치, 책의 값어치)를 디자인할 수 있는 직사각형이 만들어진다.

PPT에서 표지 날개 디자인

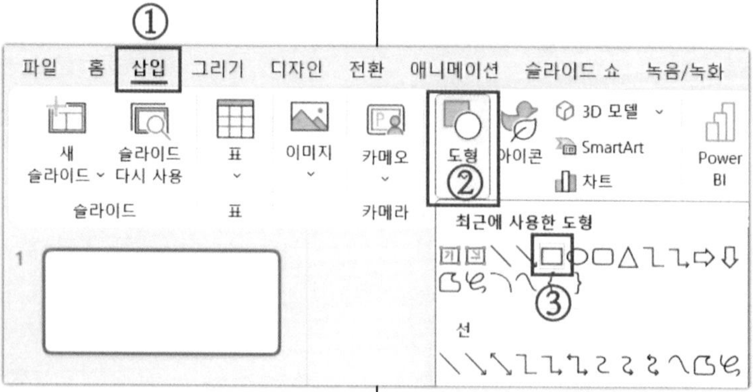
①
파일
홈
삽입
그리기
디자인
전환
애니메이션
슬라이드 쇼
녹음/녹화
새 슬라이드
슬라이드 다시 사용
표
이미지
카메오
도형
아이콘
3D 모델
SmartArt
차트
Power BI
슬라이드
카메라
②
최근에 사용한 도형
③
선

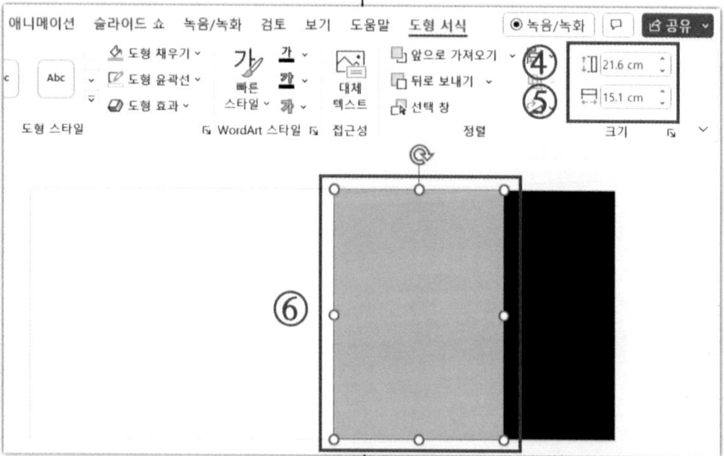
애니메이션
슬라이드 쇼
녹음/녹화
검토
보기
도움말
도형 서식
녹음/녹화
공유
Abc
도형 채우기
도형 윤곽선
도형 효과
빠른 스타일
대체 텍스트
앞으로 가져오기
뒤로 보내기
선택 창
④
⑤
21.6 cm
15.1 cm
도형 스타일
WordArt 스타일
접근성
정렬
크기
⑥

① 삽입

② 도형

③ 직사각형

④ 높이 (21.6cm)

⑤ 너비 (15.1cm)

⑥ 종이책 표지 날개의 앞표지(책 제목, 핵심 문구, 핵심 디자인, 다른 책과 다른 디자인)를 디자인할 수 있는 직사각형이 만들어진다.

PPT에서 표지 날개 디자인

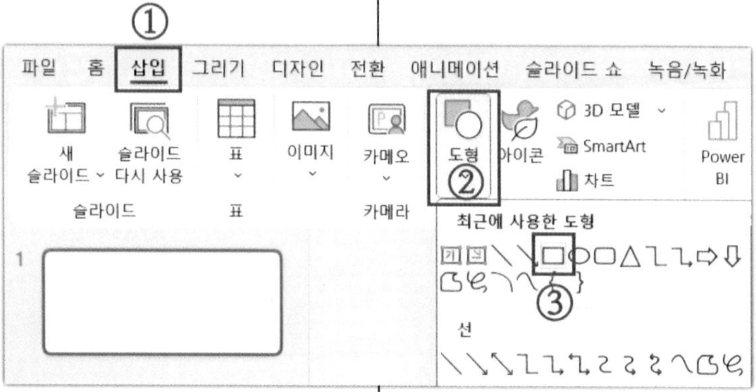
①
파일 홈 삽입 그리기 디자인 전환 애니메이션 슬라이드 쇼 녹음/녹화
새 슬라이드
슬라이드 다시 사용
표
이미지
카메오
도형
②
아이콘
3D 모델
SmartArt
차트
Power BI
슬라이드
카메라
최근에 사용한 도형
③
선

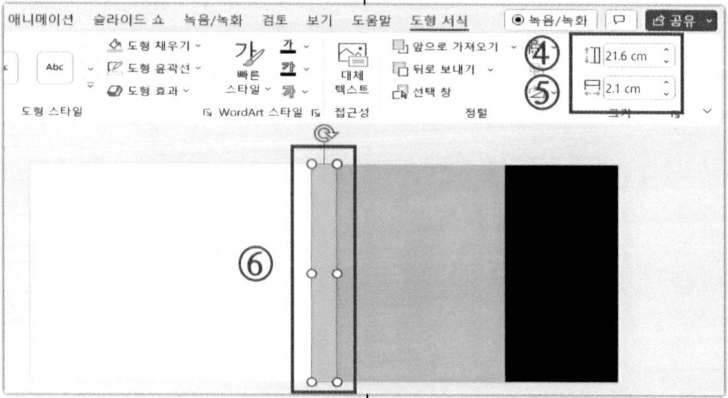
애니메이션 슬라이드 쇼 녹음/녹화 검토 보기 도움말 도형 서식
녹음/녹화
공유
도형 채우기
도형 윤곽선
도형 효과
빠른 스타일
대체 텍스트
앞으로 가져오기
뒤로 보내기
선택 창
④
⑤
21.6 cm
2.1 cm
도형 스타일
WordArt 스타일
접근성
정렬
⑥

① 삽입
② 도형
③ 직사각형
④ 높이 (21.6cm)
⑤ 너비 (2.1cm)
⑥ 종이책 표지 날개의 책등(책 제목, 저자, 출판사 로고)을 디자인할 수 있는 직사각형이 만들어진다.

PPT에서 표지 날개 디자인

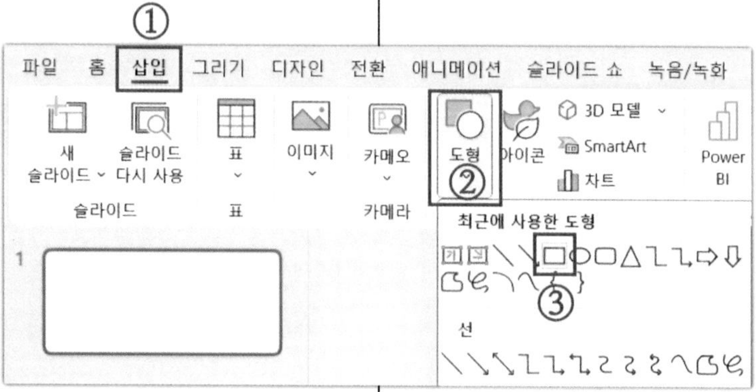

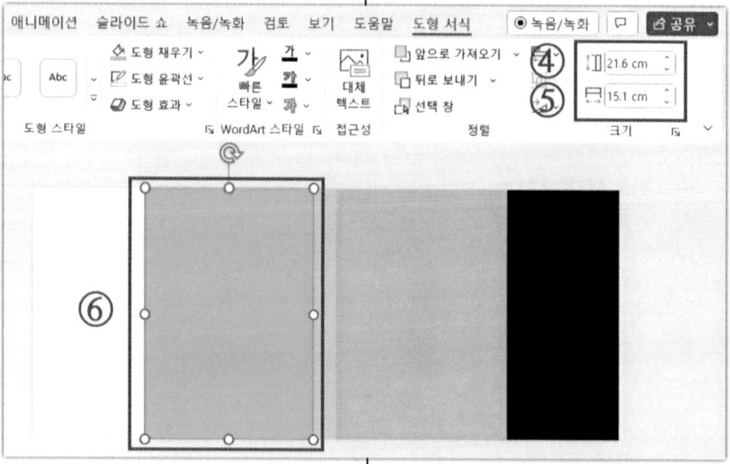

① 삽입
② 도형
③ 직사각형
④ 높이 (21.6cm)
⑤ 너비 (15.1cm)
⑥ 종이책 표지 날개의 표지 뒷면(앞면 표지 디자인 내용을 받쳐주는 디자인)을 디자인할 수 있는 직사각형이 만들어진다.

PPT에서 표지 날개 디자인

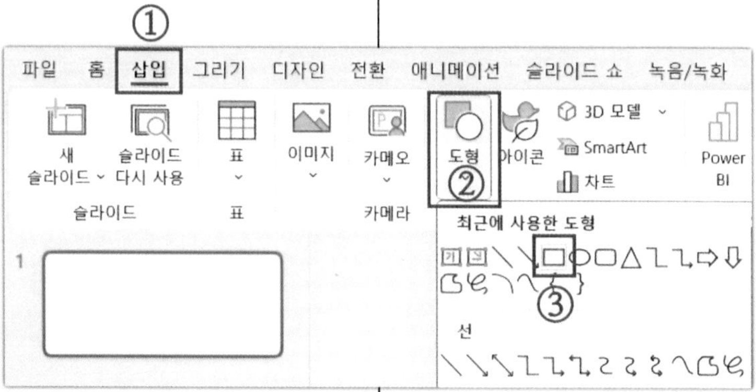

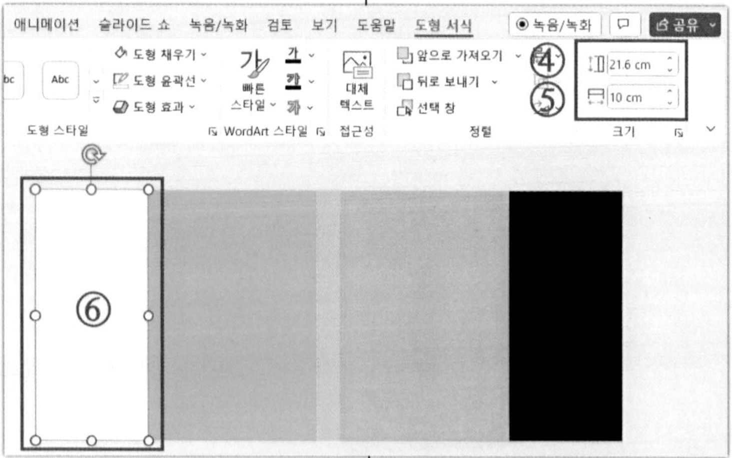

① 삽입
② 도형
③ 직사각형
④ 높이 (21.6cm)
⑤ 너비 (10cm)
⑥ 종이책 뒷면 표지 날개(책의 가치를 높여주는 디자인)를 디자인할 수 있는 직사각형이 만들어진다.

PPT에서 표지 날개 디자인

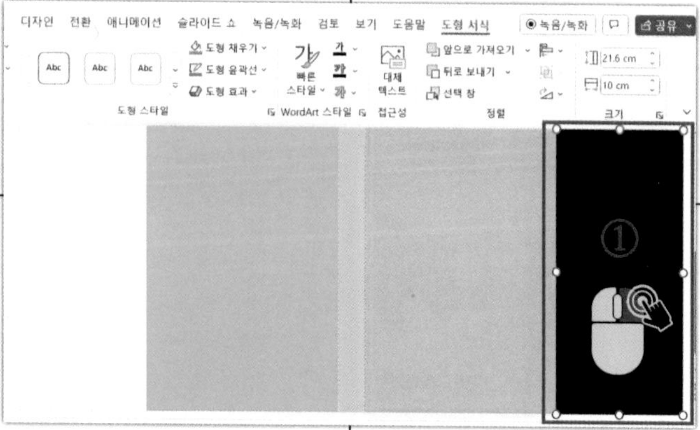

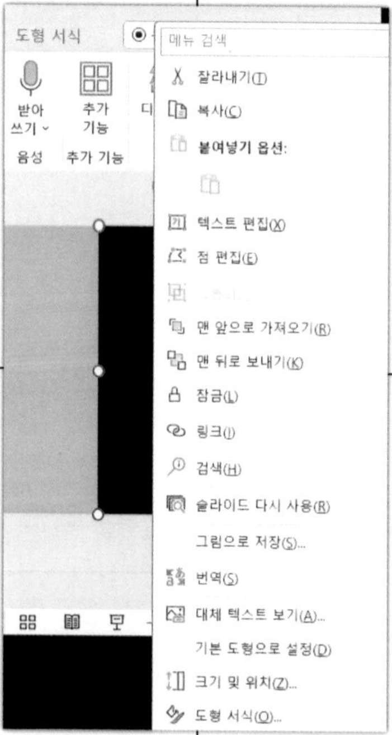

① 책날개 표지 도형을 클릭하고 오른쪽 마우스를 클릭한다.
② 크기 및 위치.

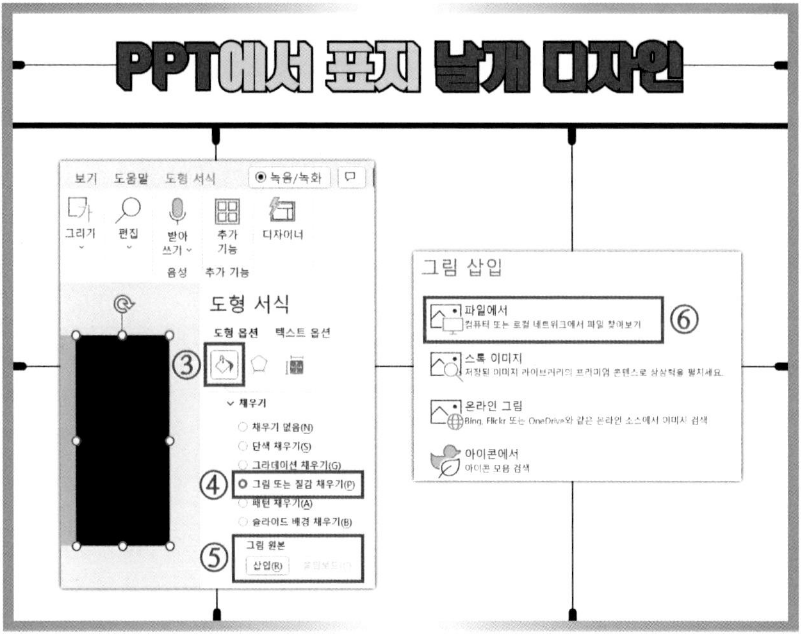

③ 채우기 및 선
④ 그림 또는 질감 채우기
⑤ 삽입
⑥ 파일에서(컴퓨터 또는 로컬 네트워크에서 파일 찾아보기. #. 책 앞면 표지 만들었던 폴더에서 이미지 삽입.

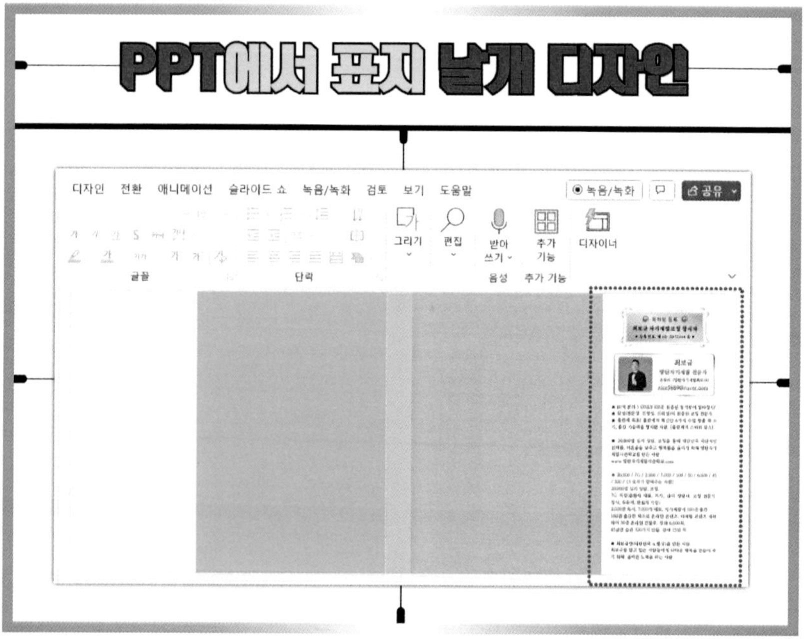
PPT에서 표지 날개 디자인
디자인
전환
애니메이션
슬라이드 쇼
녹음/녹화
검토
보기
도움말
녹음/녹화
공유
그리기
편집
받아 쓰기
추가 기능
디자이너
글꼴
단락
음성
추가 기능

쉬운 것도 모르면
우주에서 가장 어려운 것이 되고
알고 나면
우주에서 가장 쉬운 것이 된다.
80억 분의 1 검증된 전문가
(종이책 150권, 전자책 250권 총 400권 출간)
"우주 최초 우주 책임감!"
150년 a/s, 관리, 피드백
방탄book기술력 코칭
150년 a/s, 관리, 피드백 받으세요!
저거다! 방탄book기술력
Google 자기계발아마존
YouTube 방탄자기계발
NAVER 방탄book출판사
NAVER 최보규

PPT에서 표지 날개 디자인

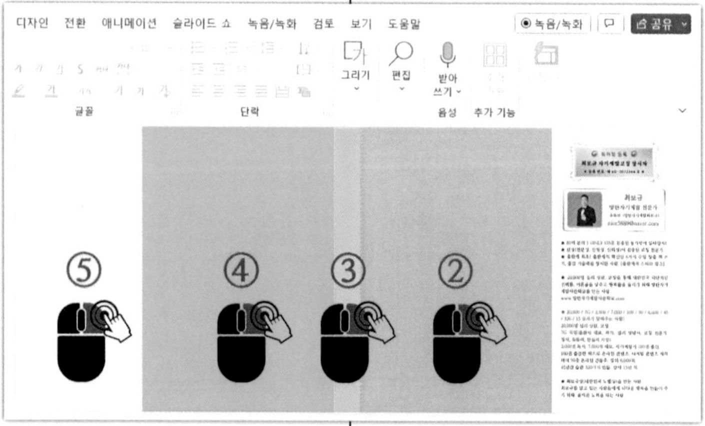

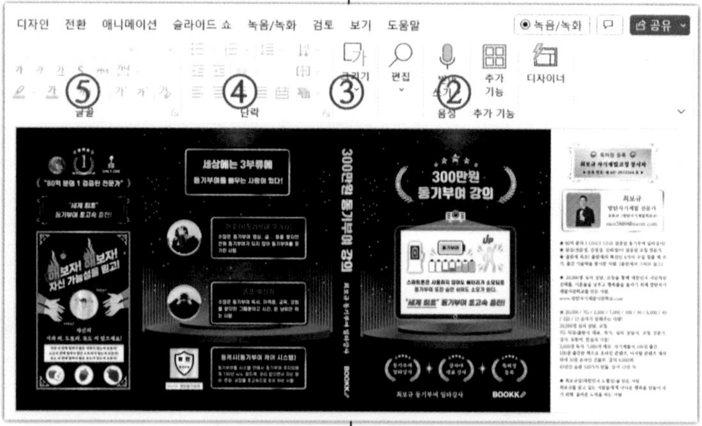

앞에서 동일한 방법으로 ②, ③, ④, ⑤또한 똑같은 방법으로 책날개 표지 도형을 클릭하고 오른쪽 마우스를 클릭 → 크기 및 위치 → 채우기 및 선 → 그림 또는 질감 채우기 → 삽입 → 파일에서(컴퓨터 또는 로컬 네트워크에서 파일 찾아보기. #. 책 앞면 표지 만들었던 폴더에서 이미지 삽입.

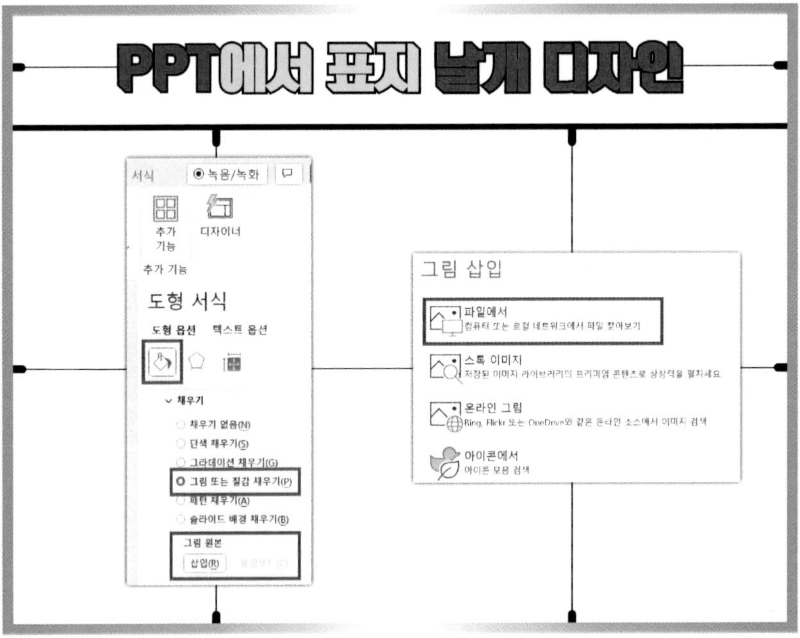

인쇄용 이미지 해상도 300dpi 다운로드

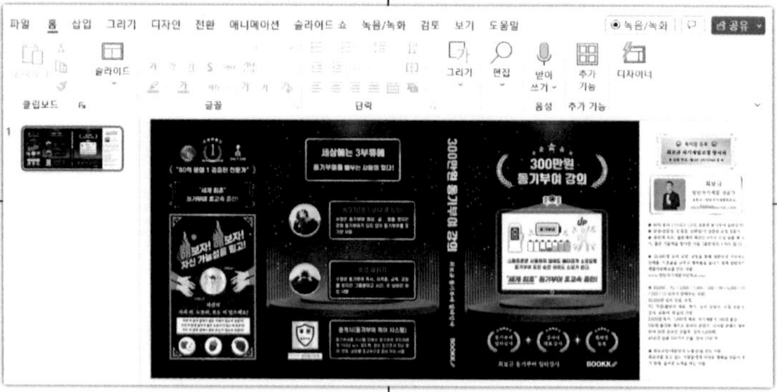

ppt에서 책 표지 날개 디자인을 완료했다면 이제는 인쇄용 이지지로 다운로드를 해야 한다. 부크크출판사에 등록을 할 때 인쇄용 이미지 300dpi로 다운로드를 해서 등록을 해야지만 승인이 된다. ppt기본 해상도는 96dpi로 설정되어 있어서 인쇄 품질에 맞지가 않는다. 그래서 인쇄 기본 품질에 맞는 300dpi로 다운로드해야 한다.

다음으로 나오는 dpi 설명한 내용과 인쇄용 이미지 300dpi 다운로드하는 방법을 참고하자.

파워포인트 이미지 해상도, 크기 설정 방법
웹용 이미지 72dpi
(유튜브 썸네일, 상세페이지, 커뮤니티 게시판 등)
(단위: Pixrl)
인쇄용 이미지 300dpi
(명함, 라벨, 액자, 머그컵, 현수막 등.)
(단위: mm 또는 cm)
PPI = Pixel Per Inch - 디스플레이에서 사용
DPI = Dot Per Inch - 프린터 스캐너 등에서 사용
표현은 다르지만 보통 같은 단위로 사용됩니다.

<유튜브 PPT 디자인, 증증이는 작업중>

ppt 해상도 고화질 설정 및 파워포인트 이미지 저장.
파워포인트는 기본 해상도가 96dpi로 설정되어 있습니다. 인쇄용 이미지인 300dpi로 저장하는 방법을 알려드리겠습니다.

1. 윈도우키 + R 버튼을 누르면 실행 창을 띄운다.
2. regedit 이라고 입력하고 확인.
3. 레지스트리 편집 창이 뜨면
HKEY_CURRENT_USER 선택
4. SOFTWARE > Microsoft > Office > 파워포인트 숫자에 따른 버전 선택(파워포인트 2016 버전이면 16.0으로 나온다.) > Powerpoint > Options

5. Options(옵션)누르면 창이 나온다.
마우스 우클릭 후 새로 만들기에서 DWORD(32비트) 값(D) 선택
6. 마우스 우클릭 이름 바꾸기.
ExportBitmapResolution 입력.
#. 대문자와 소문자 똑같이 입력.
7. ExportBitmapResolution에 마우스 우클릭을 하고 10진수를 선택한 후 300이라는 값 입력. 창 닫기.

<네이버 블로그 With PPT 요모조모>

위에 설명을 듣고 한 번에 따라 하는 사람들은 마우(마우스만 움직일 줄 아는 우주 초보)가 아닐 것이다. 하지만 우리 마우들은 아무리 쉬워도 우주에서 가장 어려운 것이 되어 버린다. 하지만 걱정 말아라! 필자가 누구인가? 세계 최초로 방탄book기술력을 창시한 전문가이다. 필자도 마우 시절이 있었고 20,000명 심리 상담, 코칭하면서 알게 된 마우들의 고충을 알고 있다. 그 누구보다 마우들의 아픔, 힘듦을 알기에 유치원생들도 알 수 있는 이미지로 설명을 해주겠다. 그래서 이 책 보는 사람이라면 천재일우(천 년에 한 번 만난다는 뜻으로 좀처럼 만나기 어려운 기회) 온 것이니 조상에서 감사하고 “내가 인생을 지금까지 잘 살아서 이런 기회가 오는 구나”라는 마음으로 제대로 배우길 바란다.

20,000명 심리 상담, 코칭으로
알게 된 사람들이 바라는 6가지 시스템!

1

커피숍에서 지인과
대화 중에도 돈이
입금되는 시스템?

2

자고 있는데
돈을 버는 시스템?

3

여행 중에도 돈이
입금되는 시스템?

4

사무실, 직원이
필요 없는 시스템?

5

건물주처럼
월세가
입금되는 시스템?

6

집에서 댕댕이와
휴식하고 있는데 돈이
입금되는 시스템?

세계 최초! 출판계의 혁신!
돈이 들어오는 6가지 시스템을
가능하게 하는 것이

방탄book기술력!

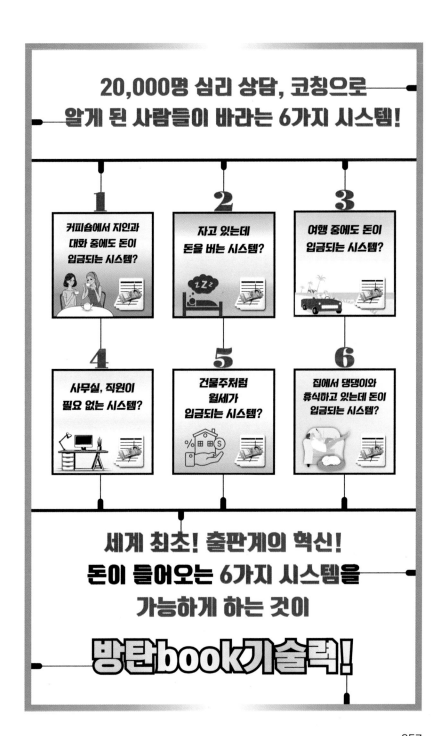

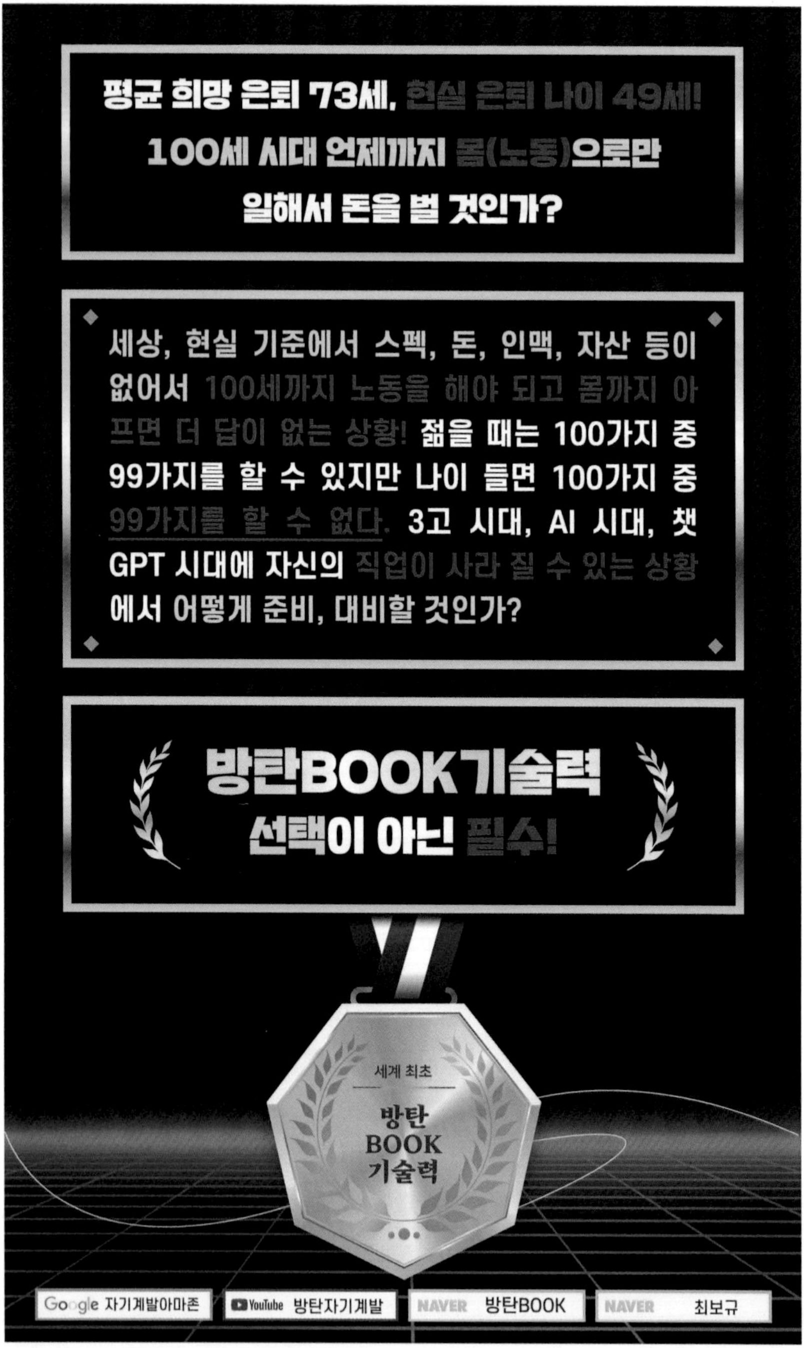
평균 희망 은퇴 73세, 현실 은퇴 나이 49세!
100세 시대 언제까지 몸(노동)으로만
일해서 돈을 벌 것인가?
세상, 현실 기준에서 스펙, 돈, 인맥, 자산 등이 없어서 100세까지 노동을 해야 되고 몸까지 아프면 더 답이 없는 상황! 젊을 때는 100가지 중 99가지를 할 수 있지만 나이 들면 100가지 중 99가지를 할 수 없다. 3고 시대, AI 시대, 챗GPT 시대에 자신의 직업이 사라 질 수 있는 상황에서 어떻게 준비, 대비할 것인가?
방탄BOOK기술력
선택이 아닌 필수!
세계 최초
방탄
BOOK
기술력
Google 자기계발아마존
YouTube 방탄자기계발
NAVER 방탄BOOK
NAVER 최보규

대한민국 99%가 책 쓰기, 출간하는 방법만 교육, 코칭 한다!

6가지 수입 창출 책 쓰기, 출간 기술력을 교육, 코칭 하는 곳은 방탄book뿐이다.

방법을 알면 1권 출간하고 끝이지만
방탄book기술력을 알면
10권, 100권, 1.000권... 도 가능하다.

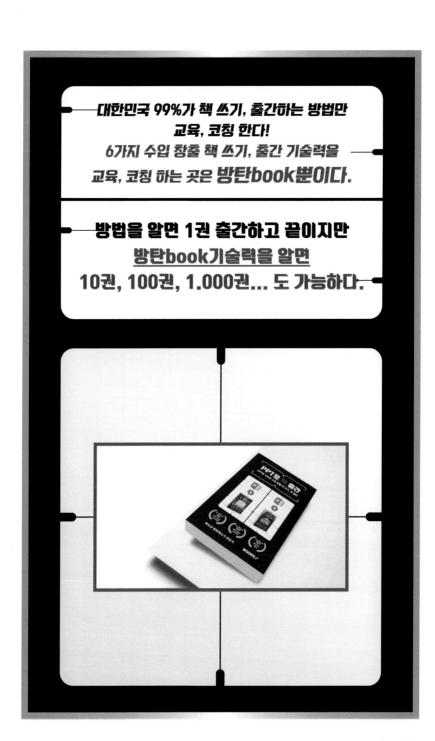

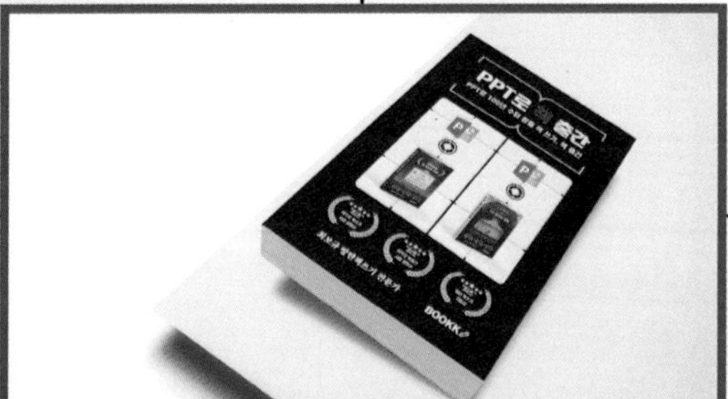

인쇄용 이미지 해상도 300dpi 설정

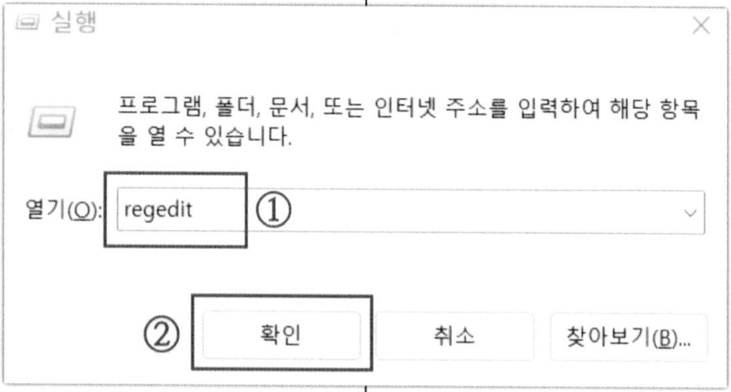

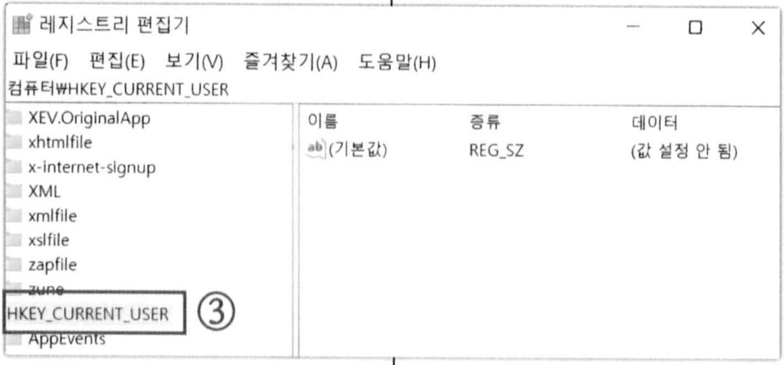

#. 윈도우키 + R 버튼을 누르면 실행 창을 띄운다.

① regedit 이라고 입력.

② 확인.

③ HKEY_CURRENT_USER → SOFTWARE → Microsoft → Office → 파워포인트 숫자에 따른 버전 선택(파워포인트 2016 버전이면 16.0으로 나온다.) → Powerpoint → Options

인쇄용 이미지 해상도 300dpi 설정

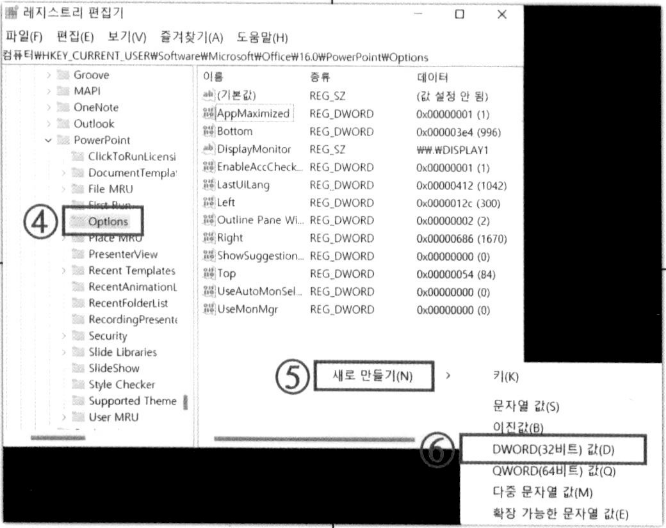

④ Options

⑤ 마우스 우클릭 후 새로 만들기

⑥ DWORD(32비트) 값(D) 선택

⑦ 마우스 우클릭 이름 바꾸기.

ExportBitmapResolution 입력.

#. 대문자와 소문자 똑같이 입력.

인쇄용 이미지 해상도 300dpi 설정

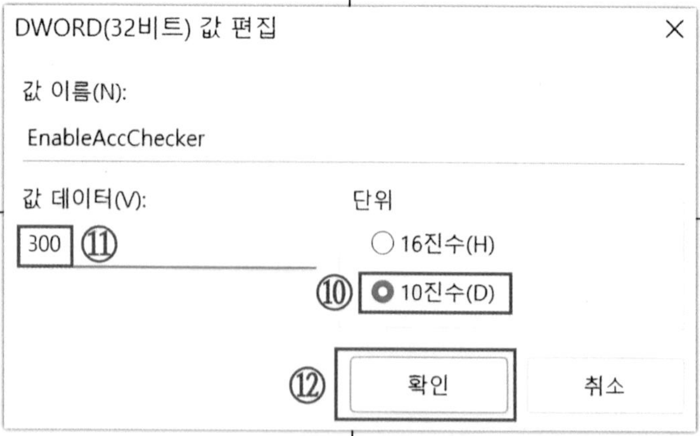

⑧ ExportBitmapResolution에 마우스 우클릭

⑨ 수정

⑩ 10진수 체크

⑪ 300입력

#. PPT에서 → 파일 → 다른 이름으로 저장 → 이PC → 파일 형식에서 JPEG 파일 교환 형식 → 저장하면 인쇄용 이미지인 300dpi가 만들어진다.

당신에게 망고보드는

천재일우

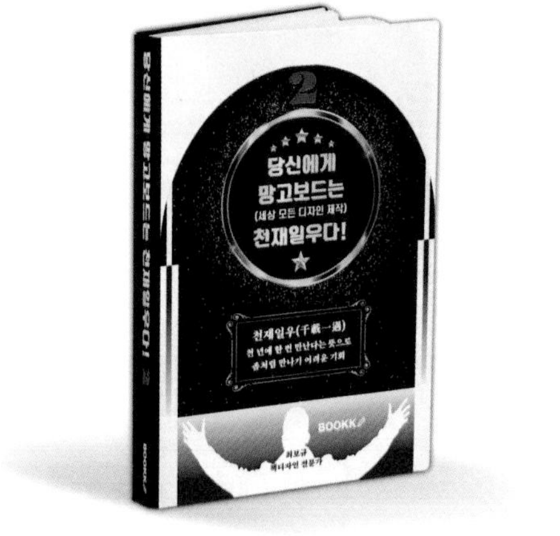

8.

망고보드에서 책 마케팅 디자인

1) 홍보마케팅을 하지 않아서 책 출간 후 3개월이 지나면 90% 책들이 냄비 받침대가 되어가는 현실.

20,000면 심리 상담, 코칭 하면서 알게 된 사람의 심리는 시행착오, 대가 지불, 인고의 시간이 들어가면 소중하게 생각을 하고 시행착오, 대가 지불, 인고의 시간이 안 들어가면 소중하게 생각하지 않는다. 90%가 이런 심리가 생긴다. 하지만 간혹 시행착오, 대가 지불, 인고의 시간이 들어갔는데 소중하게 생각하지 않는 사람들이 있고 시행착오, 대가 지불, 인고의 시간이 들어가지 않았는데 소중하게 생각하는 사람도 있다.

여기서 이런 생각이 들것이다. "엥 무슨 말이야? 시행착오, 대가 지불, 인고의 시간이 들어가면 무조건 소중하게 생각하는 거 아닌가? 시행착오, 대가 지불, 인고의 시간이 들어가지 않으면 무조건 소중하게 생각하지 않는 거 아닌가?"

사람이 하는 것은 100%가 없다. '100% 소중하게 생각한다. 100% 소중하지 않게 생각한다.'라는 것은 없다는 것이다. 심리 상담 전문가로서 정답 아닌 정답을 말해준다면 시행착오, 대가 지불, 인고의 시간이 들어가지 않으면 90% 이상 사람들이 소중하게 생각하지 않고 시행착오, 대가 지불, 인고의 시간이 들어가면 90% 이상 소중하게 생각을 한다는 것이다. 결론적으로 시행착오, 대가 지불, 인고의 시간이라는 것이 들어가면 소중함이라는 자동차의 연료가 되어 귀하게 생각한다는 것이다. 사람, 일, 인생도 마찬가지이다. 시행착오, 대가 지불, 인고의 시간이라는 연료를 얼마만큼 겪느냐에 따라 나다운 인생, 행복한 인생의 질이 달라지는 것이다.

책 또한 시행착오, 대가 지불, 인고의 시간이라는 연료로 책의 가치, 내공, 값어치가 달라진다는 것이다. 책 출간 후 3개월이 지나면 90% 책들이 냄비 받침대가 되어가는 현실을 보면서 자신 책의 의미, 출간한 책의 가치를 그 누가 아닌 저자 자신이 자신 책을 죽이는지도 모르고 죽이고 있다는 것이다.

책 출간 직후 90%의 저자들 대부분은 이런 태도를 가지고 있다. "속된 말로 책 1권 출간하는 것이 아이 1명 낳는 거와 비슷하다는 말이 있듯이 책 출간하기까지 많은 시행착오, 대가 지불, 인고의 시간을 거쳐서 출간했습니다. 저에게는 자녀와도 같은 책입니다. 너무 소중한 책입니다."

하지만 출간 후 3개월이 지나면 자녀 같은 책, 소중한 책... 마케팅을 하지 않아 냄비 받침대가 되어 책의 가치, 책의 값어치를 남이 아닌 저자 자신이 잊혀지게 만드는 작가들이 90%다.

방탄book기술력 교육, 코칭 과정에서 방탄book정신교육할 때 늘 하는 말이 있다.

"이 책이 자신 자녀라면서요?"
"이 책이 자신의 최고의 보물이라면서요?"
"이 책이 자신이 아끼는 것 중 하나라면서요?"
"이 책이 자신의 분신이라면서요?"
"이 책이 그 무엇으로도 바꿀 수 없는 가치 있는 책이라면서요?"
"이 책이 3대까지 물려줘야 될 책이라면서요?"
"이 책으로 돈 벌려고 쓰는 거 아닙니다. 많은 사람들에게 작게나마 도움이 되었으면 좋겠습니다."라고 말한 책이라면서요?"

자녀가 태어나면 성인이 되어 자리 잡을 때까지 의무적으로 보살펴야 하듯이 책이 출간 직후에는 가족, 소중한 사람들, 지인들에게 자랑하기 위해서 발에 땀나도록 알리면서 책 출간 후 3개월이 지나면 "내가 언제 책을 출간 했나?" 라는 마음이 들 정도로 책 출간 초심이 식어

버리는 상황이 벌어집니다. 세상에서 가장 소중한 책이 세상에서 가장 쓸모없는 책인 냄비 받침대 취급해버리는 사람이 될 수도 있다는 것입니다. “자녀 낳는다는 마음으로 책 출간했습니다.”라는 말을 하면서 자녀를 3개월만 키우고 내팽개치나요? 평생 관리해야 되는 거 아닌가요?

한편으로 먼저 사과 말씀드립니다. 책 쓰기, 책 출간 교육, 코칭을 제대로 하는 사람이 없어서 이런 상황이 만들어진 것에 대한 코칭 전문가로서 사과드립니다.

책 쓰기, 책 출간 교육, 코칭하는 사람들이 바로 서있어야 되는 것이다. 그래서 이 책을 쓰게 된 이유 중에 하나이다.

나쁜 자녀는 없다. 나쁜 부모만 있다.
나쁜 직원은 없다. 나쁜 리더만 있다.
나쁜 개는 없다. 나쁜 견주만 있다.
나쁜 저자는 없다. 나쁜 책 쓰기, 책 출간 교육, 코칭을 하는 책 쓰기 전문가만 있다.

20,000명 심리 상담, 코칭 하면서 알게 된 것은 책 쓰는 이유를 물어보면 30%만 “돈 벌 생각이 아닌 이름

석자 들어간 책을 출간하는 것만으로 만족합니다." 라고 했다. 30% 사람들이 방탄book기술력 교육, 코칭을 받고 땅을 치고 후회를 했다. "처음부터 방탄book기술력 코칭을 받았다면 이름만 들어간 책이 아닌 내 분야와 연결하여 수입까지 발생시킬 수 있는 책을 출간했다면 더 좋았을 걸 후회됩니다."

오해하지 말고 들었으면 한다. 자신 이름 석 자 남기려고 책 쓰고, 책 출간한다는 것이 나쁘다고 말하는 게 아니다. 똑같이 책을 쓰고 책을 출간하는데 누군가는 이름 석 자 남기려고 책을 출간하고 누군가는 이름 석 자도 남기고 내 분야 연결하여 은퇴 준비, 미래 준비, 노후 준비까지 될 수 있는 책 출간을 한다.

당신이라면 어떤 것을 선택할 것인가? 가진 것이 많다면 이름 석 자만 남기는 책을 출간하는 것도 좋다. 가진 것이 많아서 이름 석 자만 남기는 책 출간하려는 사람이 몇 명이나 되겠는가? 20,000명 심리 상담, 코칭 하면서 알게 된 것은 가진 것이 많아서 이름 석 자만 남기는 책 출간하는 사람은 1%도 되지 않는다.

이름 석 자도 남기고 자신 분야와 출간한 책을 연결하여 6가지 수입을 발생시킬 수 있는 것까지 가능하다면 2마리 토끼가 아니라 6마리 토끼를 잡는 것이다. 그러기 위해서는 책 마케팅을 잘 해야 된다. 책 마케팅은 숨을 거두는 날까지 해야 한다.

누군가는 출간한 책이 냄비 받침대가 되어가고
누군가는 출간한 책이 인생 디딤돌이 되어간다.

어떤 사람? 당신의 선택은?

000책 쓰기, 책 출간 교육받고 책 출간했는데 3개월 지나니 별거 없다. 책 쓰는 방법만 배우니 출간한 책이 냄비 받침대 되어 간다... 출간 한 책을 활용할 수 있는 방법은 없나? 출간한 책이 너무 아깝다. 책이 죽어가요! 누가 좀 도와주세요!

방탄book기술력 코칭 받고 책 출간으로 내 분야와 연결하여 지속적인 홍보마케팅이 되어 수입이 지속적으로 발생하고 나이들어도 계속할 수 있는 기술력을 만들 수 있어서 너무 감사합니다. 방탄book기술력은 인생에 디딤돌입니다.

쉬운 것도 모르면
우주에서 가장 어려운 것이 되고
알고 나면
우주에서 가장 쉬운 것이 된다.
80억 분의 1 검증된 전문가
(종이책 150권, 전자책 250권 총 400권 출간)
"우주 최초 우주 책임감!"
150년 a/s, 관리, 피드백
방탄book기술력 코칭
150년 a/s, 관리,
피드백 받으세요!
저거다!
방탄book기술력
Google 자기계발아마존
YouTube 방탄자기계발
NAVER 방탄book출판사
NAVER 최보규

2) 책 홍보 마케팅의 핵심은 이것? 누구나 최고의 홍보 마케팅 도구를 가지고 있다?

삼성, 현대, 코카콜라, 나이키, 아디다스, 애플, 벤츠... 등 이들 브랜드, 제품들 모르는 사람 있는가? 그런데 이 회사들이 새 제품 홍보를 떠나서 새 제품이 나오지 않아도 인지도 있는 운동경기장에 대중매체에 수백억, 수천억을 들여 홍보를 꾸준히 한다. 다음으로 나오는 기업들의 홍보마케팅 비용을 참고하자.

1. 걸어 다니는 11개의 광고판, 유니폼.
EPL 20개 팀의 2019년 유니폼 스폰서 규모만 해도 최소 5000억 이상입니다. K1 리그 12개 구단의 평균 수입을 다 더해도 3000억 가랑이라고 하니, 유니폼 스폰서 시장의 방대한 규모가 짐작되실 것 같습니다.

기업들은 왜 축구 유니폼에 광고를 할까요?
첫째, 보다 많은 사람들에게 브랜드를 노출시키기 위함입니다. 남녀노소, 경기장뿐만 아니라 중계를 통해 전달되는 축구 경기는 많은 사람들에게 브랜드를 노출할 수 있는 절호의 기회입니다.

둘째, 브랜드 이미지를 긍정적으로 구축하기 위함입니

다. 가령, 프리미어 리그 빅4 구단을 후원할 경우, 소비자에게 보다 고급스러운 브랜드 이미지를 각인시킬 수 있다고 합니다.
실제로 10년간 첼시를 후원했던 삼성의 경우, 첼시 후원 전에 비해 영국 내 삼성전자 매출이 3배에 가깝게 상승했다고 하네요. 당시 강팀이었던 첼시를 후원하면서 삼성전자가 보다 고급 브랜드로 포지셔닝 되며 이것이 결국 매출 상승으로 이어지게 된 것이죠.

2. 유니폼의 어떤 부분에 광고가 새겨지나요?
흔히 유니폼 스폰서라고 하면, 가슴 정중앙에 새겨진 로고를 떠올리는 경우가 많은데요. 사실 축구 시장이 점점 더 커지고, 구단 운영을 위한 비용이 점차 상승하며 스폰서 부위는 아래와 같이 점차 확대되어 왔습니다.

a. 유니폼 전면의 가슴 중앙, 쇄골 부위
b. 유니폼 후면 등번호 상단 하단 부위
c. 유니폼 측면 소매 부위
d. 유니폼 하의

3. 스폰서 위치 결정 주체 및 광고비용
일반적으로 유니폼 스폰서가 부착될 수 있는 위치와 크기는 각국 축구협회(연맹)에서 결정합니다. 로고의 크기와 위치까지 모두 규격화되어 있다고 하네요. 또한 리그별로 허용되는 광고 부위가 다르며, 부위별로 가격도 다릅니다. 이는 부위별로 새겨질 수 있는 로고의 크기가 다르기 때문이기도 하지만, 결정적으로는 경기 중계시 노출될 수 있는 빈도가 부위별로 달라지기 때문입니다. 가령, J리그의 유니폼 부위별 스폰서 단가는 아래와 같습니다

가슴(메인 스폰서) 30억
소매 5억
쇄골부분 20억
등 20억
하의 9억
-18/19시즌 J1리그-

4 스폰서십 계약의 다양화
최근에는 1. 홈경기/원정 경기, 2. 경기복/훈련복 3. 참여 대회별 (챔스/EPL 등)로 스폰서십을 차별화하여 계약하는 경우도 늘어나고 있습니다. 가령, 손흥민 선수가 활약하고 있는 토트넘은 2014년까지 정규리그와 컵 대회의 유니폼 메인 스폰서십을 별도로 운영했다고 하네요.

<네이버 블로그 프로젝트 위드>

삼성전자, LG전자 마케팅 비용

<삼성전자>

광고비 8189억 원, 판매촉진비 1조3742억 원 지출.

<LG전자는>

광고비 1931억 원, 판매촉진비 1641억 원 지출.

슈퍼볼(미국 프로미식축구리그 결승전)'초당 약 2억 원.

[뉴스핌 Newspim] 김겨레 기자

기업들처럼 수백억, 수천억... 을 들이지는 못하더라도 자신 분야 홍보마케팅을 최소의 비용으로 최대 효과를 내기 위한 홍보를 해야 되는 것이다.

누구나 최고의 홍보 마케팅 도구를 가지고 있다? 무엇을 상상하는가? 누구나 가지고 있는 것이 무엇인가? 스마트폰이다. 스마트폰으로 할 수 있는 자신의 SNS다. 스마트폰으로 할 수 있는 가장 기본적인(무료) 홍보마케팅 도구가 유튜브 자신 채널, 네이버TV, 카카오TV, 카카오스토리, 카카오톡(핑), 페이스북, 인스타그램, 유튜브, 네이버 블로그, 카카오스토리, 티스토리, 밴드... 등이 있을 것이다.

지금 어떤 시대에 살고 있는가? 스마트폰으로 인해서

하루만 해도 영상, 이미지, 글... 눈이 아플 정도로 화려한 것을 수 만개는 본다. 한마디로 지금 시대 사람들의 평균 시각적인 수준이 높다는 것이다.
이런 상황에서 디자인이 평범하거나 호기심을 유발, 궁금증 유발 "이런 디자인은 처음 보는데 너무 신선하다. 럭셔리하다."라는 마음이 들어서 보고 싶도록 디자인을 제작해야만 선택할 확률이 높아지는 것이다. 다음은 지금 현실 속 사람들의 집중력에 대한 내용이다.

겨우 8초, 금붕어보다 못한 인간의 집중력
소위 'MZ'라고 불리는 요즘 젊은 세대는 어렸을 때부터 늘 새로운 자극으로 가득한 디지털 환경에 노출된 채 자랐다. 그래서인지 한 가지 주제에 오랫동안 집중하기 상당히 어려운 뇌 구조를 지녔다고 한다. 뭔가에 집중할 수 있는 시간(Attention Span)에 관한 연구를 살펴보자. 아동이 주의해서 집중할 수 있는 시간은 얼마나 될까? '자신의 나이×1분' 정도라고 한다. 6세 어린이는 약 6분 정도 집중할 수 있다는 뜻이다. 이 시간은 개인에 따라 차이가 있고, 몰입하면 10~15분까지는 늘어날 수 있다. 너무 지루하지도 않고 그렇다고 아주 재미있지도 않은 평범한 수업을 하고 있다고 하자. 십 대 학생들은 보통 수업을 듣기 시작하면 약 10분 후부터 집중력이 떨어진다. 일반적으로 이들이 뭔가에 주의해서 집중할 수 있는 시간은 20분을 넘기기 어렵다. 따라서 수업 시작 후 10~20분이 지나면 신경전달물질이 고갈된 학생들은 이내 집중에 어려움을 느끼고 주의가 산만해진다. 그래서 유튜브 영상의 평균 길이는 15~20분이고, 테드(TED) 강연 길이는 18분이다. 집중력을 감안해 메시지를 확실히 전달하기 위한 시간이다. 드롭박스의 마케팅 신화를 쓴 실리콘밸리 최고의 마케터 션 앨리스(Sean Ellis)가 한 말을 약간 각색하여 들어보자.

"고객의 주의집중을 원하신다고요? 사업 규모의 확장을 위해서는 시장이 원하는 언어를 사용해야 합니다. 언어의 시장 적합성이 무엇보다 중요하죠. 잠재 고객의 마음을 움직일 수 있는 말을 상상해 보세요. 당신이 만든 제품을 고객이 마주할 때 어떻게 해야 가장 효율적으로 전달할 수 있을지 생각해 보셨나요? 고객이 좋아하지 않는 언어로 구애한다면 필패입니다. 제품 가치를 알아줄 상대방이 없는 곳에서 헛스윙을 하는 거라고 생각하면 됩니다." 여기서 왜 고객의 마음을 끌어당길 언어에 몰두해야 하는지 그 이유가 나온다. 스마트폰이 생기기 전 고객이 광고에 집중할 수 있는 시간은 12초였다. 이제는 8초로 뚝 떨어졌다. 9초인 금붕어보다 못하다.

주의집중 시간의 변화

12초 - 2000년 인간의 평균 주의집중 시간

8초 - 2015년 인간의 평균 주의집중 시간
9초 금붕어의 주의집중 시간

인간의 평균 주의집중 시간 인간의 평균 주의집중 시간 금붕어의 주의집중 시간 왜 이런 일이 발생했을까? 주변의 수많은 자극에 적응하다 보니 주의력이 줄어들었다는 것이 통설이다. 생각해 보라. 우리는 매일매일 넘치는 정보의 홍수 속에서 살아가고 있다. 수시로 오는 문자와 카카오톡 메시지, 귀찮아 들여다보지도 않는 이메일처럼 하루하루 우리의 신경을 산만하게 하는 요소가 차고 넘친다. 그 결과 집중해서 주의를 지속하는 시간이 줄어드는 것은 당연한 결과다. 게다가 여러 일을 한꺼번에 하는 멀티태스킹형 업무 방식에 길들여진 젊은 세 대에게 이런 현상은 더욱 심각하게 다가올 수밖에 없다.

뇌 신경세포를 뜻하는 뉴런과 마케팅의 합성어인 뉴로마케팅(Neuro Marketing)의 연구 결과를 보자. 브랜드의 색상이 소비자로 하여금 다양한 감정을 불러일으킨다고 한다. 소비자들이 상품을 구매하는 데 있어 시각적 효과가 약 95%를 차지한다고 하니, 디자인과 색감이 큐레이터에게는 아주 중요하다. 색은 브랜드를 인식하는 강력한 수단으로, 그리고 소비자의 신뢰를 확보하는 무기로 작용한다. 빨간색 코카콜라와 초록색 스타벅스 로고가 소비자의 지갑을 열게 하는 강력한 마케팅 도구로 활용되고 있다는 것은 마케팅 세계에서는 익히 아는 이야기다.

《감정 경제학》

금붕어의 집중력이 9초인데 지금 시대 사람들의 집중력이 8초라는 말이 씁쓸하기만 하다. 지금시대 사람들의 심리를 알려주는 내용이었다.

어떤 분야든 지금 시대 사람들의 상태, 심리를 알아야만 공격적으로 영업, 마케팅을 할 수 있고 자신 분야 제품을 알릴 수 있는 것이다.

시각적인 효과가 95%를 차지한다는 것은 어마어마한 것이다. 그래서 홍보마케팅 디자인이 중요하다고 말을 하는 것이다. 지금 시대의 사람들에게 집중력 8초를 머물게 하지 못하면 끝이다.

스마트폰을 누군가는 시간 때우는 도구로 사용하고 누군가는 자신 분야와 연결하여 전문성을 높여 수입을 발생시키는데 활용한다.

자신 책, 자신 분야를 몇 백만 원 씩 들여서 홍보 할 수도 있다. 하지만 100년(평생) 해야 하는데 한번 하는 데 몇 백만 원씩 들어가는 비용을 감당할 수 있겠는가?
노오력 홍보마케팅이 아니라 최소의 비용으로 최대의 효과를 내기 위한 전략적인 올바른 홍보마케팅이 중요한 것이다. 스마트폰에 있는 홍보마케팅 도구들을 어떻게 활용할 것인가가 중요하는 것이다.

스마트폰이라는 도구가 있다면 홍보할 수 있는 재료가 있어야 한다. 재료는 자신 책을 홍보하기 위한 책 홍보 디자인 한 홍보이미지다. 전문가에게 의뢰를 하면 이미지 사진 하나를 만드는 데도 몇 십만 원씩 들어간다. 유튜브 홍보 영상 제작은 최소 200만 원 ~ 500만 원이 들어간다.

앞에서도 언급했듯이 필자 디자인 실력이 마우(마우스만 움직일 줄 아는 우주 초보)라고 했다. 지금도 PPT 만드는 수준, 디자인 실력이 마우다.

종이책 150권, 전자책 250권 총 400권 출간하면서 책 홍보마케팅을 위해 디자인한 것을 모두 다 마우 실력으로 디자인 한 것이다. 믿겨지지가 않을 것이다. 어떤 도구를 활용하느냐에 따라 마우를 전문 디자이너로 만들 수 있다. 그 기적의 시작이 망고보드다. 마우 실력만 있어도 망고보드에서 필자처럼 할 수 있다. 망고보드에서 총 400권 출간한 디자인 모든 것들을 작업했다. 망고보드에서 작업할 수 있는 디자인 종류는 사람 만드는 것 빼고 다 된다고 보면 된다. 오해하지 말았으면 한다. 필자가 망고보드 직원은 아니다. 홍보대사도 아니다.

망고보드에서 디자인 가능한 것들은 다음과 같다.

스티커 디자인, 리플렛, 전단지, 포스터, 명함, 배너, 어깨띠, 현수막, 봉투, 카탈로그, 종이컵, 프레젠테이션, A0~A5, B0~B5, 카드뉴스, 인스타그램, 페이스북, 네이버 스마트스토어, 네이버 블로그, 네이버 TV, 유튜브, 트위터, 틱톡, 로고 프로필, 북커버, 메뉴판, 구글배너, 카카오모먼트, 인포그래픽.

망고보드 장점은 기존에 만들어져 있는 디자인들 샘플을 활용해서 디자인하면 된다는 것이다. 이미 만들어져 있는 디자인을 자신 취향에 맞게 수정만 하면 된다는 것이다. 다른 말이 필요 없을 것이다. 필자가 책을 홍보하기 위해 디자인했던 홍보마케팅 디자인들을 보고 판단하자.

종이책 150권, 전자책 250권 총 400권 출간하면서 디자인한 일부분 홍보마케팅 디자인을 참고하면 어떤 곳에서 홍보를 하고 어떻게 디자인을 해야 되는지 감이 올 것이다.

#. 마우(마우스만 움직일 줄 아는 우주초보) 실력으로 전문가를 능가하는 디자인을 할 수 있는 기적을 감상하길 바란다.

똑같이 주어진 도구를
어떻게 활용하느냐에 따라
자신, 자신 분야가 달라진다.

시간 때우는 도구!
SNS에 올라오는 쇼윈도 행복을 보고
상대적 불행으로
자존감, 멘탈 배터리 방전되어
불만, 시기, 질투, 우울

6:52/21:00

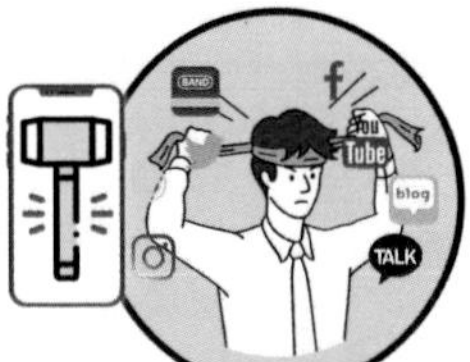

자신 분야와 연결하여
홍보마케팅을 통해
수입 상승, 전문성 상승

6:52/21:00

책 홍보마케팅 디자인 종류
자신 채널 유튜브
300만원 동기부여 강의
300만원 동기부여/방탄동기부여
조회수 3.7천회 3주 전 #동기부여 더보기
방탄자기계발 방탄동기부여 최보규 2.05천

책 홍보마케팅 디자인 종류

책 홍보마케팅 디자인 종류

블로그, 티스토리
홍보 메시지 디자인

트렌디한 디자인이 필요할땐
망고보드
저작권 걱정 No 다양한 템플릿 제공
매주 새로운 고퀄리티의 템플릿이!
망고보드 1:1 코칭
최보규 망고보드 전문가
010-6578-8295
망고보드
쉽게
따라하기
세상에서 가장 쉬운 디자인!
마우스만 움직일 줄 알면 전문 디자인이 된다!
망고보드 1:1 코칭 한번으로
우주 책임감
150년 a/s, 피드백, 관리! 상담받자!
망고보드
핵심 팁!

당신에게 망고보드는

천재일우

9.

망고보드에서 책 홍보영상 제작 (샘플)

책 홍보마케팅에서 가장 효과가 좋은 것은 책 홍보영상을 제작하는 것이다. 전문가에게 의뢰를 하면 100만 원 ~ 1,000만 원 까지 발생한다. 대형 출판사들은 책 튜브(책을 리뷰하는 유튜버)에게 책 홍보영상 제작을 의뢰해서 홍보한다.

책 한 권 출간하고 말 거라면 홍보마케팅으로 지출되는 비용은 감수할 수 있을 것이다. 하지만 자신 분야와 연결하여 6가지 수입을 창출할 수 있는 책 출간을 꾸준히 할 거라면 홍보영상 제작, 홍보디자인까지 해야 된다. 그래서 필자는 몇 백만 원, 몇 천만 원 들어가는 것을 망고보드에서 해결하고 있으며 책 홍보마케팅과 연관된 모든 디자인을 하고 있다. 망고보드 프로그램 마스터하면 모든 것이 끝난다.

유튜브에 책 홍보마케팅 영상 제작을 한번 하면 네이버TV(영상, 숏츠), 카카오TV(영상, 숏츠), 인스타그램(영상, 숏츠), 페이스북(영상, 숏츠)에도 홍보를 할 수가 있다. 한번 제작하면 여러 가지 활용도가 많다는 것이다. 한번 제작해서 올려놓으면 100년 동안 홍보가 되는 것이다. 다음으로 나오는 출간 한 책을 홍보영상으로 제작했던 샘플들을 보면 느낌이 올 것이고 유튜브에 올라가 있는 실제 영상을 보면 더 감이 올 것이다.

유튜브 채널 이름 <방탄자기계발 방탄동기부여 최보규>

유튜브 홍보영상 제작 샘플

Google 자기계발아마존

YouTube 방탄자기계발

NAVER 방탄리더동기부여

NAVER 최보규

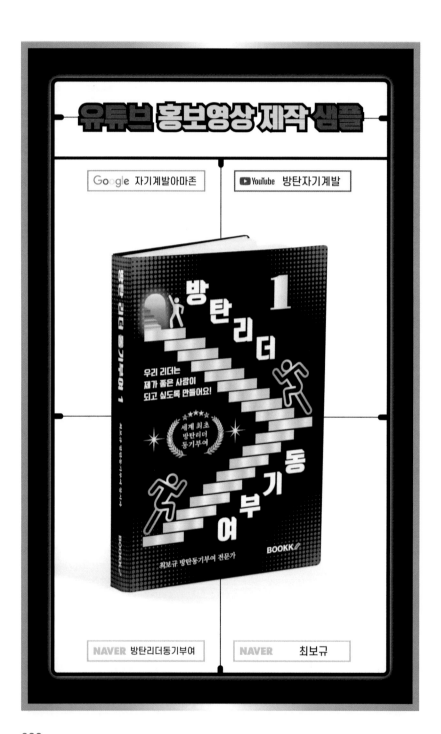

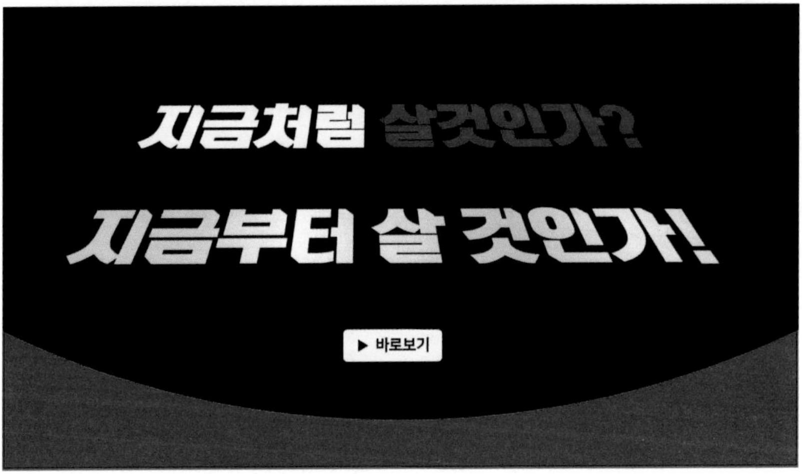
지금처럼 살 것인가?
지금부터 살 것인가!
▶ 바로보기

20,000명 심리 상담, 코칭 하면서 알게 된 것은
많은 사람들이 비슷한 말을 한다는 것이다!

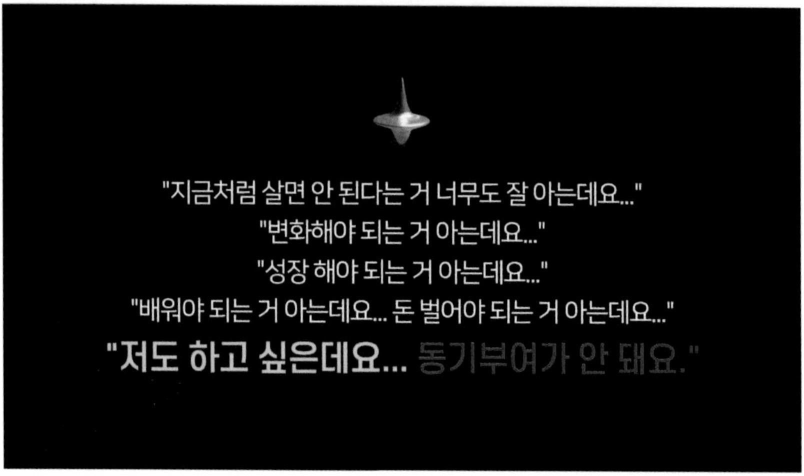
"지금처럼 살면 안 된다는 거 너무도 잘 아는데요..."
"변화해야 되는 거 아는데요..."
"성장 해야 되는 거 아는데요..."
"배워야 되는 거 아는데요... 돈 벌어야 되는 거 아는데요..."
"저도 하고 싶은데요... 동기부여가 안 돼요."

START
언제까지 동기부여 검증 안된 전문가 교육, 글, 책, 영상,...만 보면서
자신, 자신 분야 변화, 성장, 돈, 은퇴, 노후... 걱정, 고민만 할 것인가!
혼자하지 말고 함께하자!

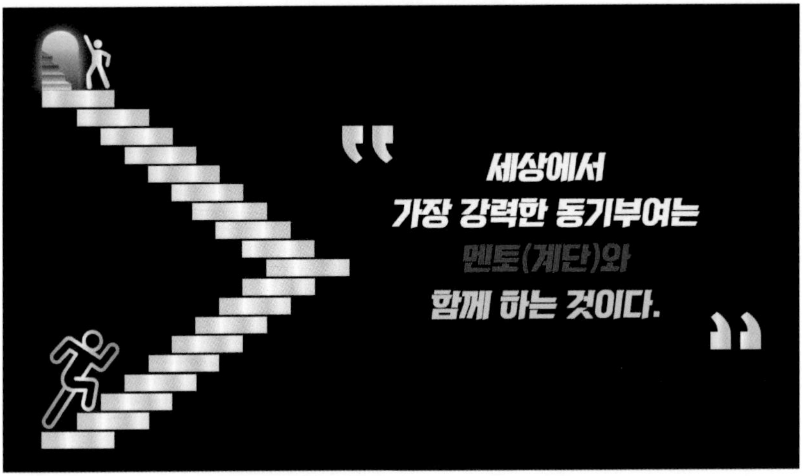
세상에서
가장 강력한 동기부여는
멘토(계단)와
함께 하는 것이다.

CHANCE
변화
CHANGE
성장
배움
돈
멘토
한 곳에서 모든 걸 해결! :)
은퇴, 노후
준비
150년 A/S
150년 피드백
150년 관리
SKILLS
KNOWLEDGE
EXPERIENCE

요즘 가장 핫한
동기부여, 자기계발 코칭
HOT

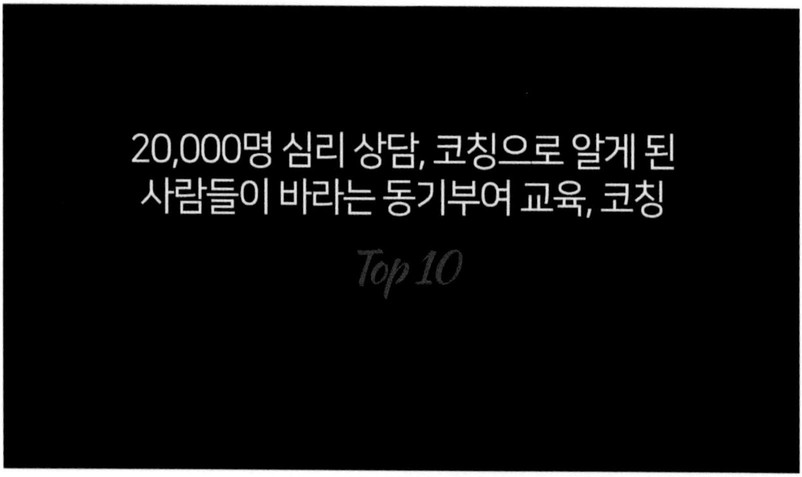
20,000명 심리 상담, 코칭으로 알게 된
사람들이 바라는 동기부여 교육, 코칭
Top 10

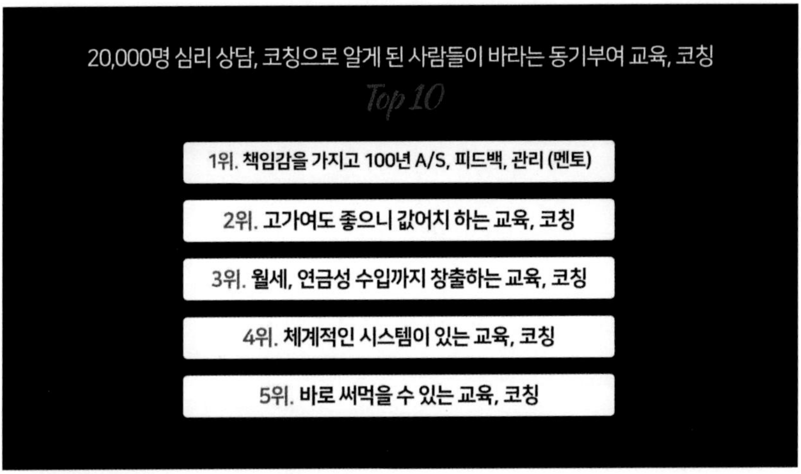

20,000명 심리 상담, 코칭으로 알게 된 사람들이 바라는 동기부여 교육, 코칭
Top 10
1위. 책임감을 가지고 100년 A/S, 피드백, 관리 (멘토)
2위. 고가여도 좋으니 값어치 하는 교육, 코칭
3위. 월세, 연금성 수입까지 창출하는 교육, 코칭
4위. 체계적인 시스템이 있는 교육, 코칭
5위. 바로 써먹을 수 있는 교육, 코칭

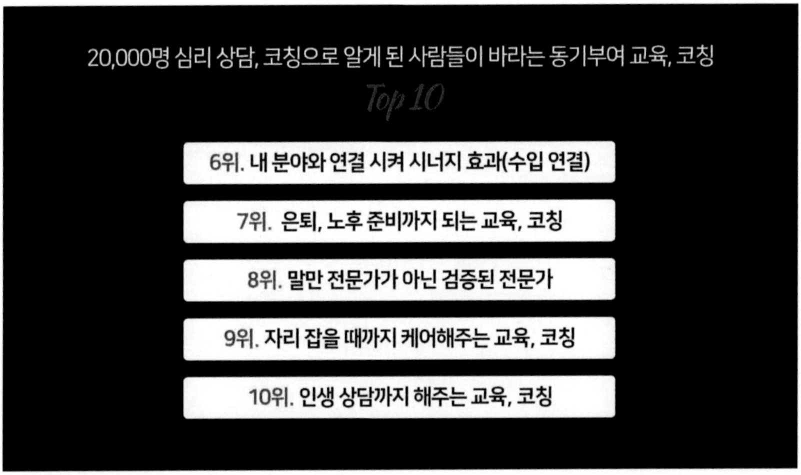

20,000명 심리 상담, 코칭으로 알게 된 사람들이 바라는 동기부여 교육, 코칭
Top 10
6위. 내 분야와 연결 시켜 시너지 효과(수입 연결)
7위. 은퇴, 노후 준비까지 되는 교육, 코칭
8위. 말만 전문가가 아닌 검증된 전문가
9위. 자리 잡을 때까지 케어해주는 교육, 코칭
10위. 인생 상담까지 해주는 교육, 코칭

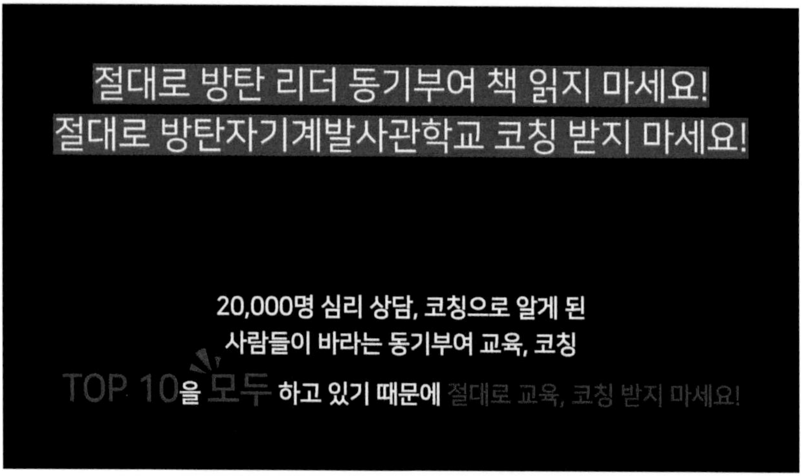
절대로 방탄 리더 동기부여 책 읽지 마세요!
절대로 방탄자기계발사관학교 코칭 받지 마세요!
20,000명 심리 상담, 코칭으로 알게 된
사람들이 바라는 동기부여 교육, 코칭
TOP 10을 모두 하고 있기 때문에 절대로 교육, 코칭 받지 마세요!

CONGRATULATIONS
검증된
BEST
방탄동기부여
전문가
www.방탄자기계발사관학교.com
방탄
동기부여

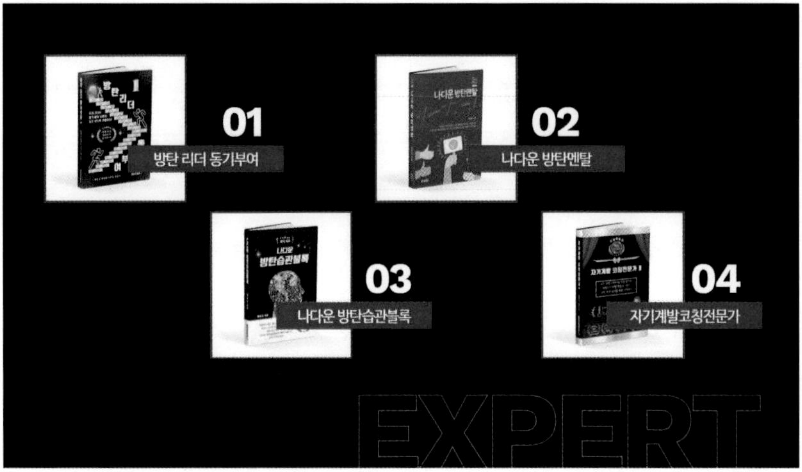
01
방탄 리더 동기부여
02
나다운 방탄멘탈
03
나다운 방탄습관블록
04
자기계발코칭전문가
EXPERT

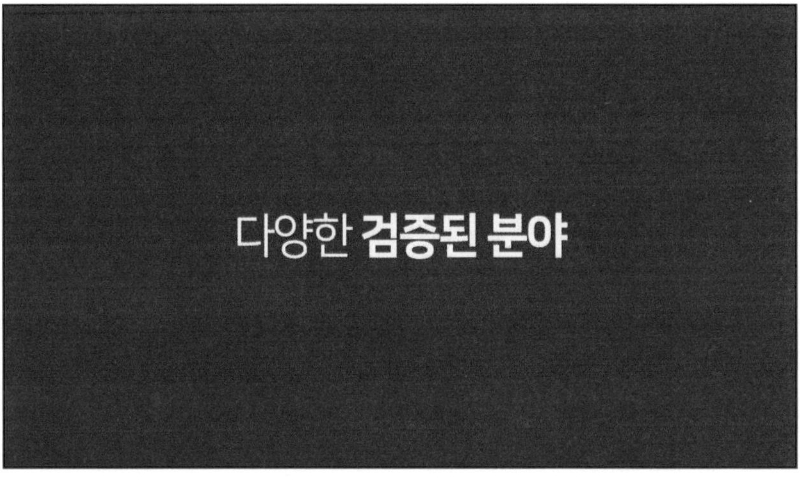
다양한 검증된 분야

삼성(진정성, 전문성, 신뢰성)이 검증된 동기부여 전문가

방탄 리더 동기부여 CLASS6 매뉴얼, 시스템!
Google 자기계발아마존
YouTube 방탄자기계발
NAVER 방탄리더동기부여
NAVER 최보규

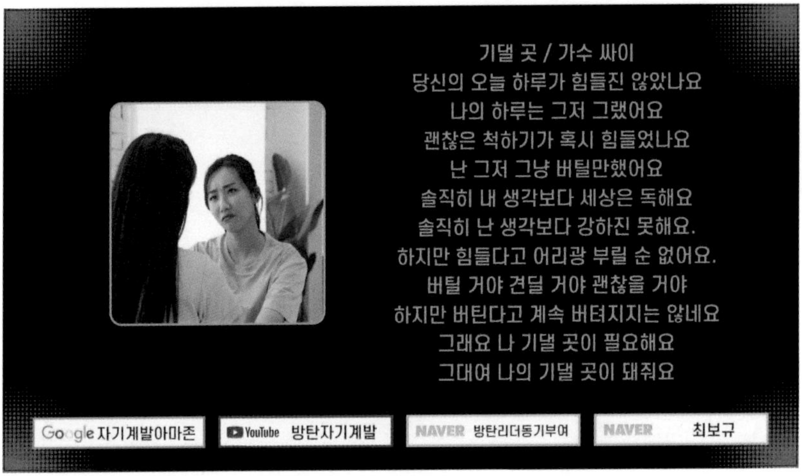

기댈 곳 / 가수 싸이
당신의 오늘 하루가 힘들진 않았나요
나의 하루는 그저 그랬어요
괜찮은 척하기가 혹시 힘들었나요
난 그저 그냥 버틸만했어요
솔직히 내 생각보다 세상은 독해요
솔직히 난 생각보다 강하진 못해요.
하지만 힘들다고 어리광 부릴 순 없어요.
버틸 거야 견딜 거야 괜찮을 거야
하지만 버틴다고 계속 버텨지지는 않네요
그래요 나 기댈 곳이 필요해요
그대여 나의 기댈 곳이 돼줘요
Google 자기계발아마존
YouTube 방탄자기계발
NAVER 방탄리더동기부여
NAVER 최보규

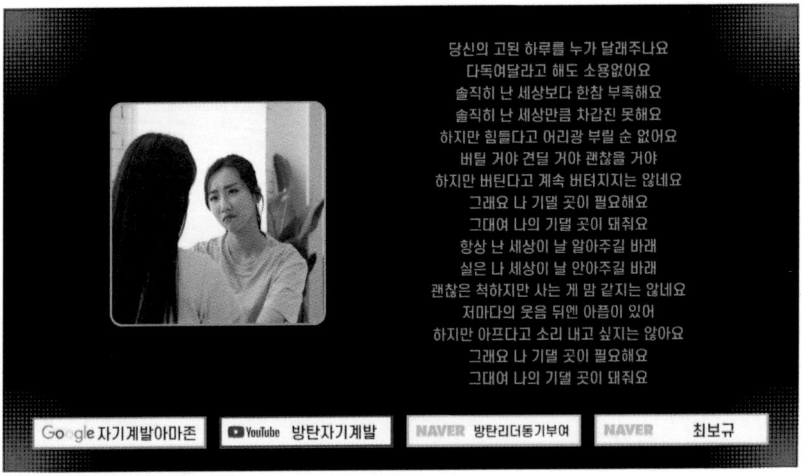

당신의 고된 하루를 누가 달래주나요
다독여달라고 해도 소용없어요
솔직히 난 세상보다 한참 부족해요
솔직히 난 세상만큼 차갑진 못해요
하지만 힘들다고 어리광 부릴 순 없어요
버틸 거야 견딜 거야 괜찮을 거야
하지만 버틴다고 계속 버텨지지는 않네요
그래요 나 기댈 곳이 필요해요
그대여 나의 기댈 곳이 돼줘요
항상 난 세상이 날 알아주길 바래
실은 나 세상이 날 안아주길 바래
괜찮은 척하지만 사는 게 맘 같지는 않네요
저마다의 웃음 뒤엔 아픔이 있어
하지만 아프다고 소리 내고 싶지는 않아요
그래요 나 기댈 곳이 필요해요
그대여 나의 기댈 곳이 돼줘요
Google 자기계발아마존
YouTube 방탄자기계발
NAVER 방탄리더동기부여
NAVER 최보규

당신의 기댈 곳이
되어 주겠습니다!
함께 합시다!

지금 당장 상담
받으세요!
삼성(진정성, 전문성, 신뢰성)이 검증된
최보규 방탄동기부여 전문가
강의, 교육, 코칭, 컨설팅 010-6578-8295
Google 자기계발아마존
YouTube 방탄자기계발
NAVER 방탄리더동기부여
NAVER 최보규
00

방탄 리더 동기부여
어떤 영상에서도 말하지 못한 방탄 리더 동기부여!
어떤 책에서도 말하지 못한 방탄 리더 동기부여!
어떤 동기부여 교육, 코칭에서도 말하지 못한 방탄 리더 동기부여!
Google 자기계발아마존
YouTube 방탄자기계발
NAVER 방탄리더동기부여
NAVER 최보규

방탄 자기계발
지금처럼이 아닌 지금부터 살게 해주겠습니다!
150년 함께 하겠습니다!
www.방탄자기계발사관학교.com
Google 자기계발아마존
YouTube 방탄자기계발
NAVER 방탄자기계발사관학교
NAVER 최보규

유튜브 홍보영상 제작 샘플

Google 자기계발아마존

YouTube 방탄자기계발

NAVER 방탄리더스피치

NAVER 최보규

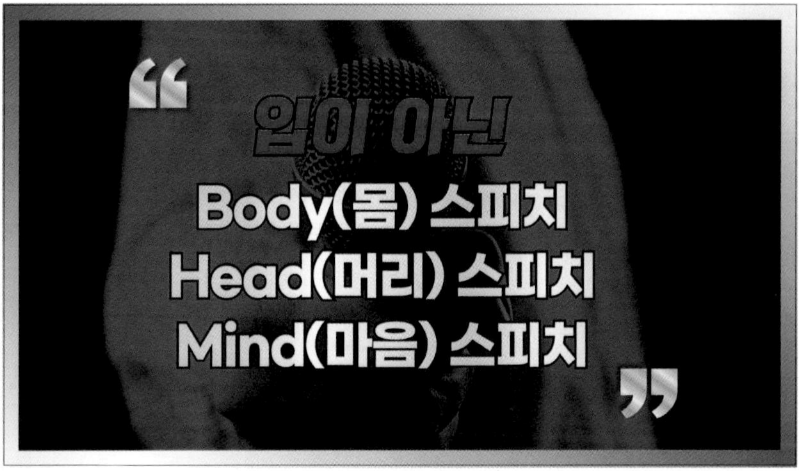
입이 아닌
Body(몸) 스피치
Head(머리) 스피치
Mind(마음) 스피치

리더 스피치는

리더 스피치는
다르고 다르게?

당신의 생각을

CHANGE

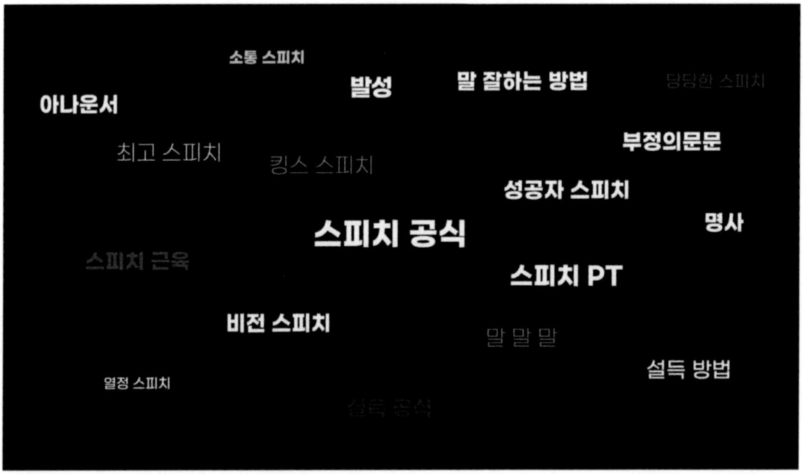
소통 스피치
발성
말 잘하는 방법
당당한 스피치
아나운서
부정의문문
최고 스피치
킹스 스피치
성공자 스피치
스피치 공식
명사
스피치 근육
스피치 PT
비전 스피치
말 말 말
설득 방법
열정 스피치
설득 공식

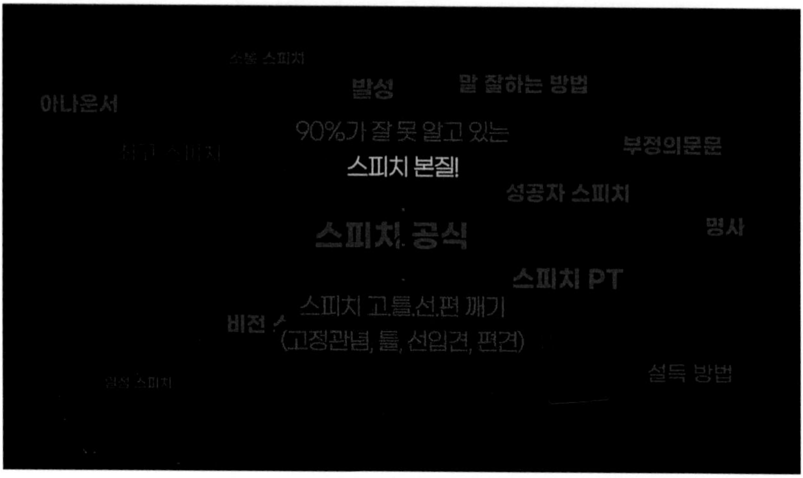

소통 스피치
발성
말 잘하는 방법
아나운서
90%가 잘 못 알고 있는
스피치 본질!
부정의문문
성공자 스피치
스피치 공식
명사
스피치 PT
스피치 고.틀.선.편 깨기
(고정관념, 틀, 선입견, 편견)
설득 방법

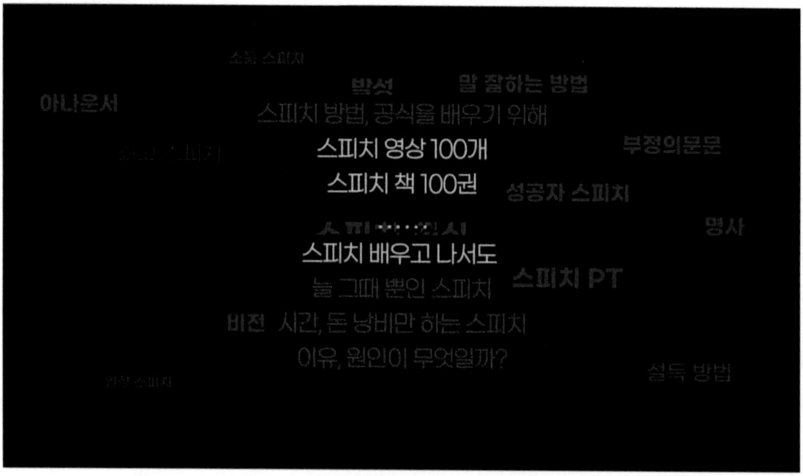

소통 스피치
발성
말 잘하는 방법
아나운서
스피치 방법, 공식을 배우기 위해
스피치 영상 100개
스피치 책 100권
부정의문문
성공자 스피치
명사
스피치 배우고 나서도
늘 그때 뿐인 스피치
스피치 PT
비전
시간, 돈 낭비만 하는 스피치
이유, 원인이 무엇일까?
설득 방법

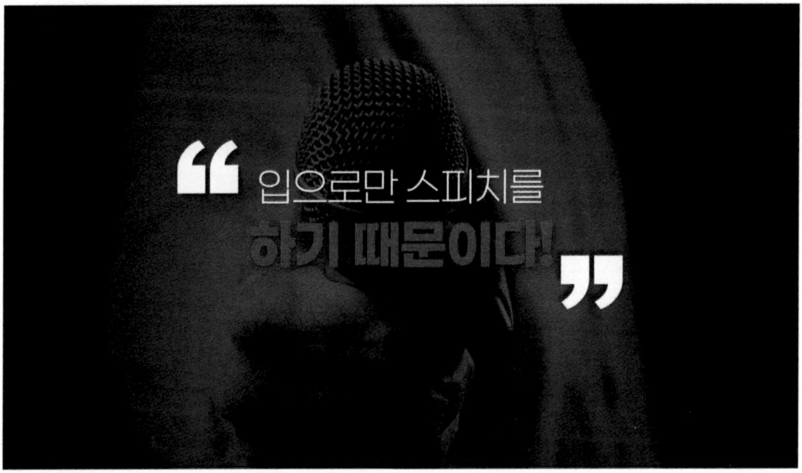
"입으로만 스피치를
하기 때문이다!"

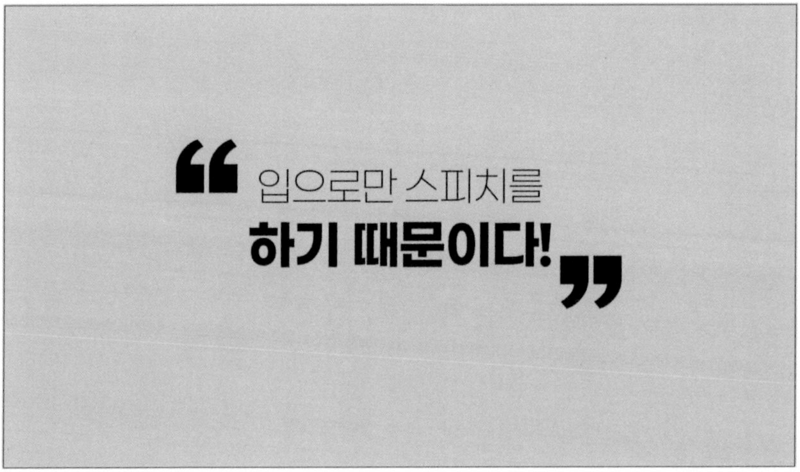
"입으로만 스피치를
하기 때문이다!"

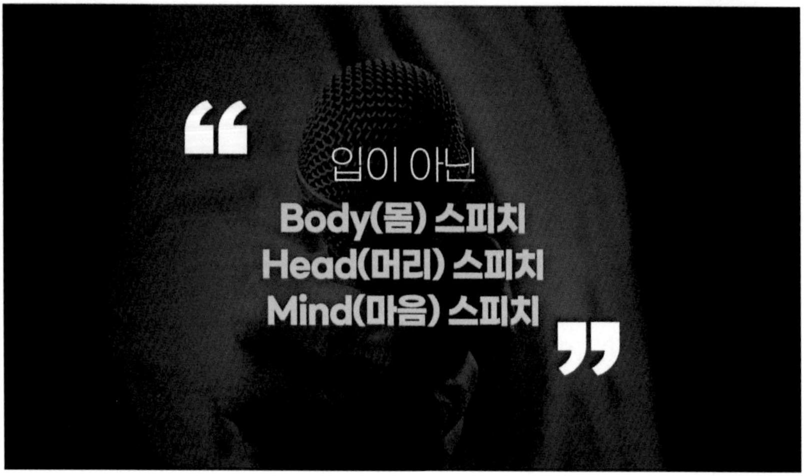
입이 아닌
Body(몸) 스피치
Head(머리) 스피치
Mind(마음) 스피치

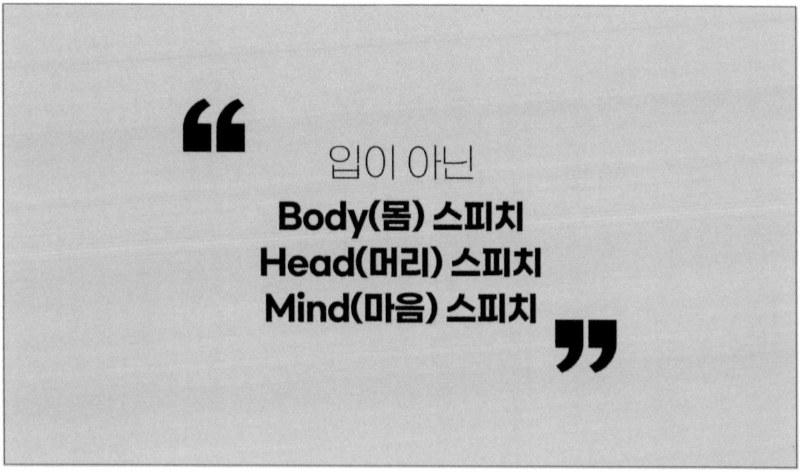
입이 아닌
Body(몸) 스피치
Head(머리) 스피치
Mind(마음) 스피치

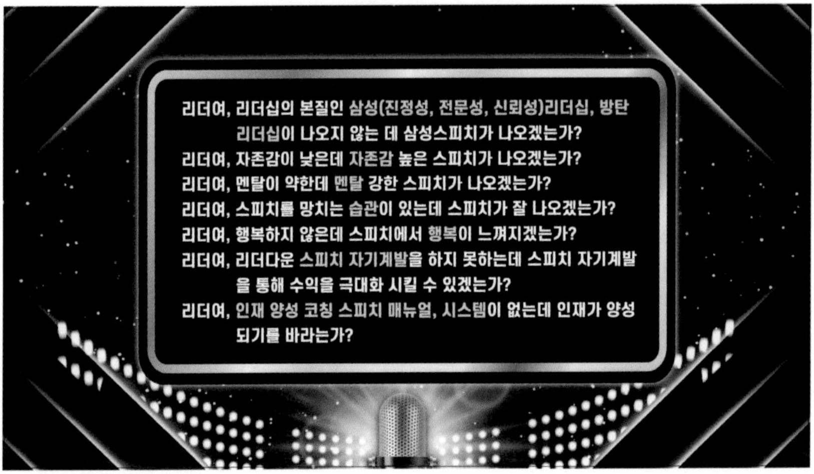
리더여, 리더십의 본질인 삼성(진정성, 전문성, 신뢰성)리더십, 방탄 리더십이 나오지 않는 데 삼성스피치가 나오겠는가?
리더여, 자존감이 낮은데 자존감 높은 스피치가 나오겠는가?
리더여, 멘탈이 약한데 멘탈 강한 스피치가 나오겠는가?
리더여, 스피치를 망치는 습관이 있는데 스피치가 잘 나오겠는가?
리더여, 행복하지 않은데 스피치에서 행복이 느껴지겠는가?
리더여, 리더다운 스피치 자기계발을 하지 못하는데 스피치 자기계발을 통해 수익을 극대화 시킬 수 있겠는가?
리더여, 인재 양성 코칭 스피치 매뉴얼, 시스템이 없는데 인재가 양성되기를 바라는가?

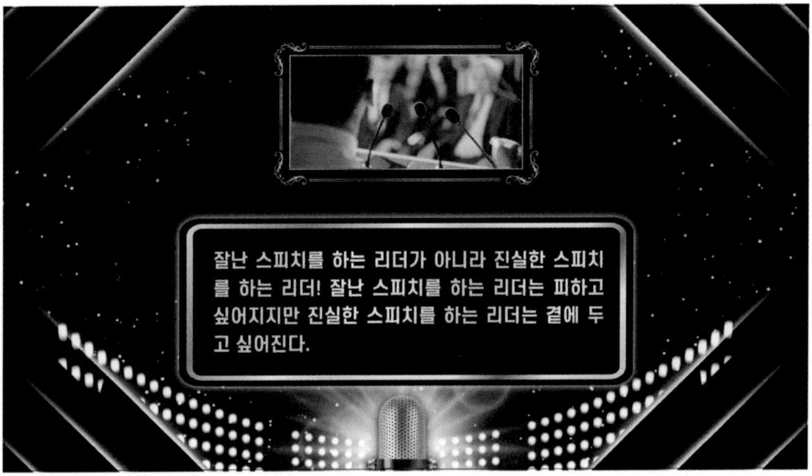
잘난 스피치를 하는 리더가 아니라 진실한 스피치를 하는 리더! 잘난 스피치를 하는 리더는 피하고 싶어지지만 진실한 스피치를 하는 리더는 곁에 두고 싶어진다.

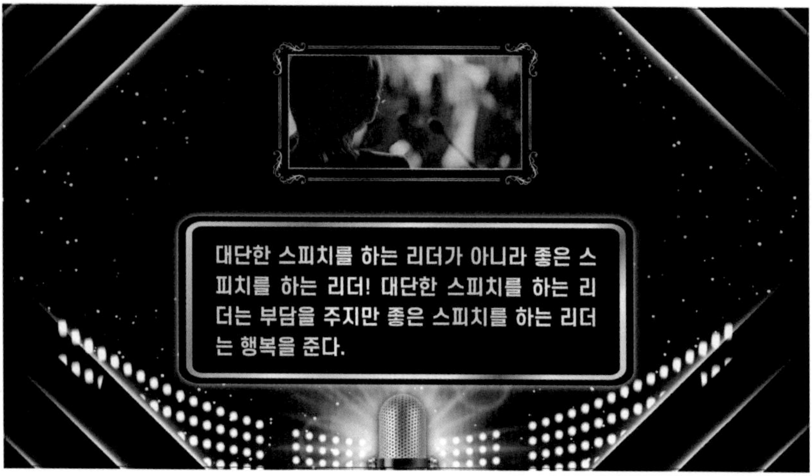
대단한 스피치를 하는 리더가 아니라 좋은 스피치를 하는 리더! 대단한 스피치를 하는 리더는 부담을 주지만 좋은 스피치를 하는 리더는 행복을 준다.

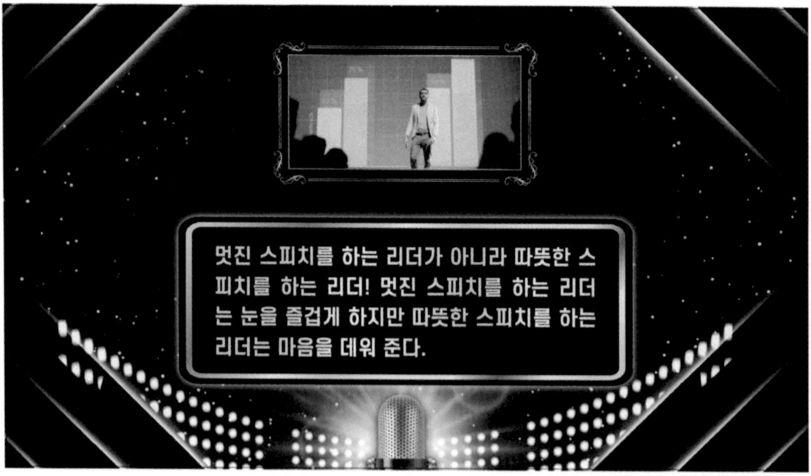
멋진 스피치를 하는 리더가 아니라 따뜻한 스피치를 하는 리더! 멋진 스피치를 하는 리더는 눈을 즐겁게 하지만 따뜻한 스피치를 하는 리더는 마음을 데워 준다.

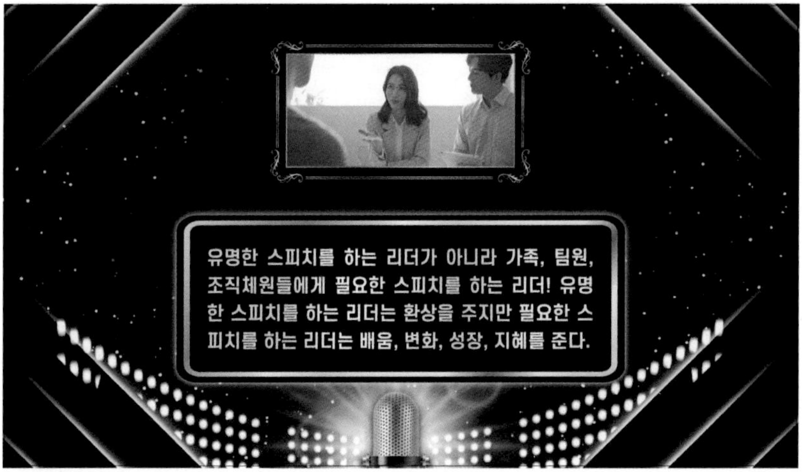
유명한 스피치를 하는 리더가 아니라 가족, 팀원, 조직체원들에게 필요한 스피치를 하는 리더! 유명한 스피치를 하는 리더는 환상을 주지만 필요한 스피치를 하는 리더는 배움, 변화, 성장, 지혜를 준다.

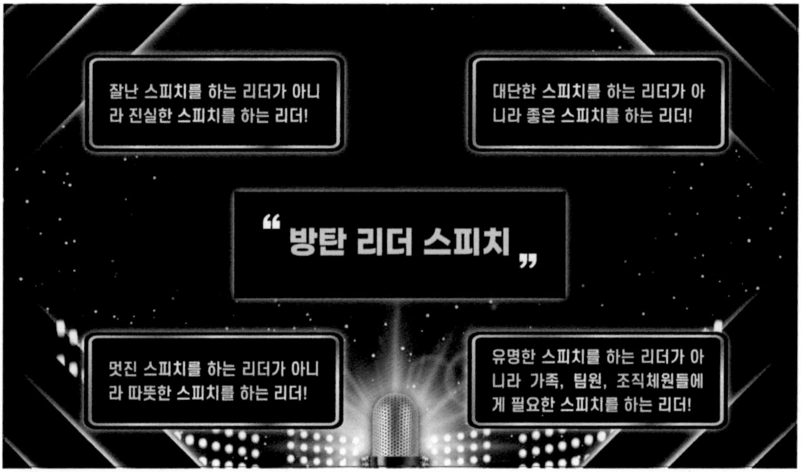
잘난 스피치를 하는 리더가 아니라 진실한 스피치를 하는 리더!
대단한 스피치를 하는 리더가 아니라 좋은 스피치를 하는 리더!
"방탄 리더 스피치"
멋진 스피치를 하는 리더가 아니라 따뜻한 스피치를 하는 리더!
유명한 스피치를 하는 리더가 아니라 가족, 팀원, 조직체원들에게 필요한 스피치를 하는 리더!

방탄 리더 스피치!
방탄 리더 스피치 1
방탄 리더 스피치 2
방탄 리더 스피치 3
방탄 리더 스피치 4
방탄 리더 스피치 5

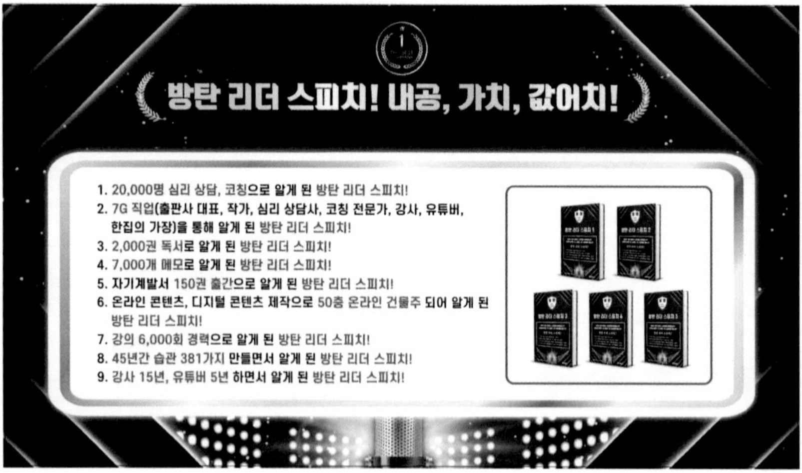
방탄 리더 스피치! 내공, 가치, 값어치!
1. 20,000명 심리 상담, 코칭으로 알게 된 방탄 리더 스피치!
2. 7G 직업(출판사 대표, 작가, 심리 상담사, 코칭 전문가, 강사, 유튜버, 한집의 가장)을 통해 알게 된 방탄 리더 스피치!
3. 2,000권 독서로 알게 된 방탄 리더 스피치!
4. 7,000개 메모로 알게 된 방탄 리더 스피치!
5. 자기계발서 150권 출간으로 알게 된 방탄 리더 스피치!
6. 온라인 콘텐츠, 디지털 콘텐츠 제작으로 50층 온라인 건물주 되어 알게 된 방탄 리더 스피치!
7. 강의 6,000회 경력으로 알게 된 방탄 리더 스피치!
8. 45년간 습관 381가지 만들면서 알게 된 방탄 리더 스피치!
9. 강사 15년, 유튜버 5년 하면서 알게 된 방탄 리더 스피치!

살아 온 날로 살아갈 날 단정 지을 것인가?

때를 기다릴 것인가 때를 만들어 갈 것인가?

지금 처럼 살 것인가 지금 부터 살 것인가?

방탄 리더 스피치!
방탄 리더 스피치 1
방탄 리더 스피치 2
방탄 리더 스피치 3
방탄 리더 스피치 4
방탄 리더 스피치 5
4차 산업 시대에 맞는 4차 리더 스피치인 방탄 리더 스피치 7단계 시스템 학습, 연습, 훈련을 통해
리더 자신 분야 삼성(진정성, 전문성, 신뢰성)을 높여 제2수입, 제3수입까지 올릴 수 있는
방탄 리더 스피치 자기계발로 리더 자신, 가족, 팀원, 조직체원들을 끌고 가는 리더가 아니라 끌어가는 리더가 되자.
Google 자기계발아마존
YouTube 방탄자기계발
NAVER 방탄 리더 스피치
NAVER 최보규

20,000명 심리 상담, 코칭으로
알게 된 사람들이 바라는 6가지 시스템!
1
커피숍에서 지인과 대화 중에도 돈이 입금되는 시스템?
2
자고 있는데 돈을 버는 시스템?
Z Z Z
3
여행 중에도 돈이 입금되는 시스템?
4
사무실, 직원이 필요 없는 시스템?
5
건물주처럼 월세가 입금되는 시스템?
%
$
6
집에서 댕댕이와 휴식하고 있는데 돈이 입금되는 시스템?
세계 최초! 출판계의 혁신!
돈이 들어오는 6가지 시스템을
가능하게 하는 것이
방탄book기술력!

당신에게 망고보드는

천재일우

10.

망고보드에서 책 홍보

SNS 프로필 디자인 (샘플)

앞에서 언급했던 내용인 "누구나 최고의 홍보 마케팅 도구를 가지고 있다? 무엇을 상상하는가? 누구나 가지고 있는 것이 무엇인가? 스마트폰이다. 스마트폰으로 할 수 있는 자신의 SNS다. 스마트폰으로 할 수 있는 가장 기본적인(무료) 홍보마케팅 도구가 유튜브 자신 채널, 네이버TV, 카카오TV, 카카오스토리, 카카오톡(펑), 페이스북, 인스타그램, 유튜브, 네이버 블로그, 카카오스토리, 티스토리, 밴드... 등이 있을 것이다."

누구나 SNS 친구, 지인들, 간접적으로 알고 지내는 사람, 우연히 SNS 친구가 된 사람... 등 눈에 들어오는 프로필 이미지가 있다면 클릭을 한다. 자신에 대해서 잘 알고 있는 사람일지라도 자신이 지금 무엇을 새롭게 하고 있는지를 어필하기 위한 한 가지가 프로필 이미지다.

전문 분야가 있다면 자신 취미 사진, 먹는 사진, 놀러 간 사진, 가족사진, 자녀 사진 프로필에 올리는 것도 좋지만 프로필 사진, SNS에 올리는 사진에 자신의 전문성을 어필할 수 있는 이미지를 올리면 홍보마케팅이 되는 것이다.

"프로필 이미지, SNS에 올라오는 사진을 보니. 이 사람 이런 것도 하는 사람이었구나. 이 사람 전문성이 있는 사람이었구나. 그쪽 궁금한 게 있었는데 자문 좀 구해봐야겠는데, 도움을 줄 수 있겠는데, 도움을 받을 수 있겠는데... 등”

그래서 홍보마케팅을 무료로 할 수 있는 방법들을 최대한 활용을 해야 된다. SNS 프로필 홍보마케팅은 무료로 계속할 수 있는 장점도 있다.

어떻게 하면 자신 분야 노출을 시킬 것인가를 끊임없이 생각하고 행동해야 한다. 다음으로 나오는 프로필 비교 이미지를 참고하길 바란다.

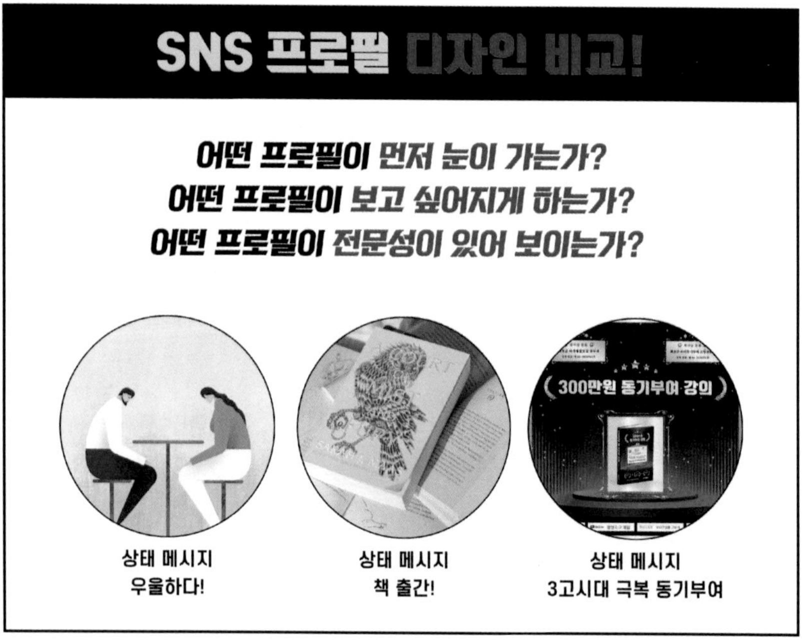

책 홍보 SNS 프로필 샘플

책 홍보 SNS 프로필 샘플

책 홍보 SNS 프로필 샘플

책 홍보 SNS 프로필 샘플

책 홍보 SNS 프로필 샘플

책 홍보 SNS 프로필 샘플

책 홍보 SNS 프로필 샘플

책 홍보 SNS 프로필 샘플
BAND
blog
You Tube
SNS 계정 모든 프로필
세계 최초 출간!
상처 치료 자기계발서
노재광
후시딘 자기계발 전문가
YouTube 방탄카피사전
나다운 방탄 카피 사전
마데카솔 방탄 카피
후시딘 방탄 카피
세상 속 상처
현실 속 상처
BOOKK
최보규
마데카솔 자기계발 전문가
NAVER 방탄카피사전

책 홍보 SNS 프로필 샘플

SNS 계정 모든 프로필

당신에게 망고보드는

천재일우

11.

망고보드에서 책 홍보

블로그 디자인 (샘플)

SNS 속 프로필은 자신과 직접적, 간접적으로 연결이 되어 있어야 볼 수가 있다. 자신을 모르는 사람이라면 자신의 프로필을 보기가 쉽지 않다.
#이라는 해시태그를 걸어두면 처음 보는 사람도 검색으로 들어온다. 하지만 프로필은 핵심 이미지 한 장만 어필할 수 있기에 세부적인 홍보마케팅은 되지 않는다. 그래서 무료로 할 수 있는 네이버 블로그, 티스토리를 활용해야 한다. 네이버 블로그, 티스토리에 매일 하나씩 업로드해서 노출을 시켜야 한다. 홍보비에 여유가 있다면 얼마든지 업체에 의뢰를 해서 한 달에 몇 백씩 홍보를 해도 된다. 하지만 꾸준히 홍보비를 지출하면서 한다는 게 쉽지가 않다.

세상에 모든 것은 꾸준함이 전제가 되어야 한다. 성실함의 부모는 꾸준함이다. 성실함이 기본이 되어 꾸준함이 나오는 것이다. 성실함이 없으면 꾸준함은 나오지 않는다. 한마디로 책이든 제품이든 자신 분야 홍보마케팅에는 끝이 없다는 것이다. 무료로 할 수 있는 자신의 계정으로 꾸준히 하는 게 답이다.

책에 있는 핵심 내용들을 이미지, 메시지로 만들어서 스마트폰으로 할 수 있는 틀을 만들어야 한다. PC로 할 수도 있겠지만 언제든지 빠르고 쉽게 할 수 있는 스마트폰으로 할 수 있어야 시간 절약을 할 수 있다. 지금 시대에는 시간은 금이 아니라 다이아몬드다.
책에 있는 내용을 이미지로 만든다는 게 쉽지 않다. 필자는 원고 작업 시작할 때 이미지와 글을 같이 만들었다. 방탄book기술력 코칭 할 때 늘 하는 말이 있다.

"남과 같은 방법으로 원고에 글만 쓴다면 경쟁력이 없다. 지금 시대에 사람들의 시각적인 심리(하루만에도 영상, 숏폼, 이미지 몇 1,000개를 본다)에 맞게 책 내용을 극대화하기 위해서 글에 맞는 이미지를 만들어야 한다. 글을 이미지로 만드는 훈련을 하면 6가지 수입 창출 시스템을 만드는데 시간, 돈 낭비를 줄여 준다. 나중에 해야 할 것을 미리 하는 것뿐이다."

책 핵심 내용 이미지 만드는 방법에는 3가지가 있다.
첫 번째 방법.
책을 출간하고 나서 이미지 작업을 따로 해서 원고 수정을 한다.
두 번째 방법.
원고에 글을 완성한 다음에 핵심 내용들에 이미지 디자인을 한다.
세 번째 방법.
원고에 글을 쓸 때부터 핵심 내용들 이미지 디자인을

같이 한다.

방탄book기술력을 만난 사람들은 처음부터 책을 쓸 때 두 번째, 세 번째를 배워서 한다.
책을 출간하고 방탄book기술력을 만난 사람들은 뒤늦게 책 핵심 내용 이미지 디자인의 중요성을 알게 된다.

책만 출간할 거라면 책 핵심 내용 이미지 디자인이 필요 없다. 하지만 6가지 수입 창출까지 하려면 책 핵심 내용 이미지 디자인은 필수다. 늘 말하지만 세상에서 가장 쉬운 방법은 만들어져 있는 것을 어떻게 만들었는지 참고해서 벤치마킹하는 것이다.

다음으로 나오는 책 홍보 블로그 디자인 샘플들을 참고하자.

나다운 방탄습관블록

1장 나다운 방탄습관블록 공식 ▼

습관의 개념은 안 좋은 습관을 바꾸는 것이 아니라 좋은 습관을 하나씩 쌓아 가는 것입니다.

현재 안 좋은 습관은 유지하면서
만들고 싶은 좋은 습관을
자신이 지금 하고 있는
습관 위에 쌓는 것입니다.
"습관은 바꾸는 것이 아니라 쌓는다." 개념으로 시작하십시오.

한마디로 레고처럼 블록을 쌓는 것입니다.
안 좋은 습관을 중간에 빼는 것이 아닙니다.
그 위에 쌓는 것입니다.

- 《나다운 방탄습관블록》 저자 최보규 -

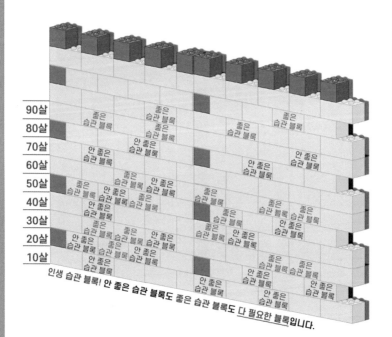

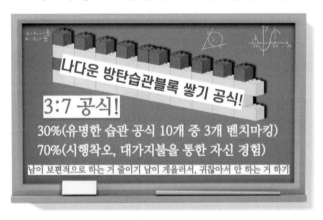

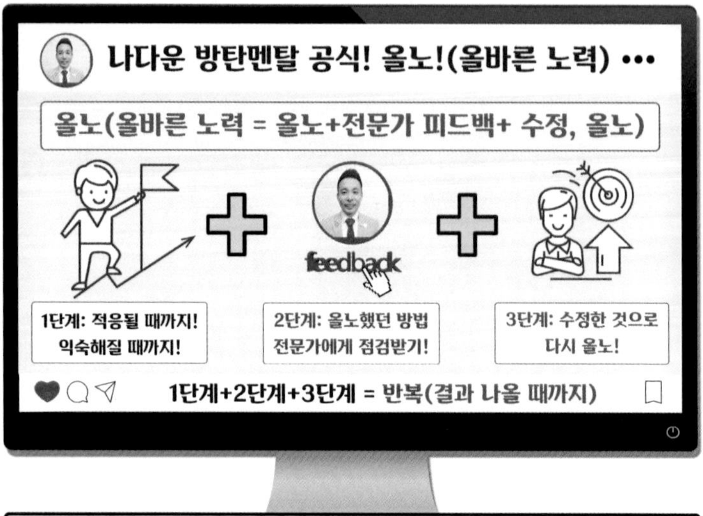

방탄멘탈 = 자자자자멘습긍! 멘탈시대는 끝났습니다!
운전도 방어운전이 중요하듯
'나다운 방탄멘탈'이 필요합니다.
나다운 방탄멘탈도 스펙입니다.
학습, 연습, 훈련을 통해 익히는 것입니다!

[출처: 〈나다운 방탄멘탈〉 저자 최보규]

세상에서 가장 아름다운 것은 나다운 것입니다.
현실 속 나다움이 죽어가고 있습니다.
나다운 골든타임! 지금! 나다운 심폐소생술 시작합니다!
나다움의 시작은 사람을 존중할 때 시작됩니다.
남이 하는 것 안 하기! 남들이 안 하는 것 하기!

[출처: 〈나다운 방탄멘탈〉 저자 최보규]

방탄리더십 6단계 시스템
★★★★★
CEO
필독 도서
★★★★★
세계 최초
방탄리더십
방탄리더
자존감
방탄리더
멘탈
방탄리더
습관
방탄리더
코칭
방탄리더
자기계발
방탄리더
행복
2023
화제의 책
나다운 방탄리더십
리더는 사라져도
방탄리더십은 1,000년 간다!
나다운 방탄리더십 1
BOOKK
1
Google 자기계발아마존
YouTube 방탄자기계발
NAVER 나다운방탄리더십십
NAVER 최보규

리더는 유튜브가 아닌 나튜브!
3단계 매뉴얼, 시스템!
YouTube ITube
리더는 유튜브가 아닌 나튜브! 1
리더는 유튜브가 아닌 나튜브! 2
리더는 유튜브가 아닌 나튜브! 3
나튜브로 월세, 연금성 수입 창출!
온라인 건물주!
BOOKK
"최초" 리더 유튜브 자기계발서
"최초" 나튜브 자기계발서
"최초" 리더 유튜브 사용 설명서
"최초" 리더 유튜버 지침서
YouTube ITube
"세계 최초"
리더 유튜버 동기부여
사용 설명서
Google 자기계발아마존
YouTube 방탄자기계발
NAVER 나튜브
NAVER 최보규

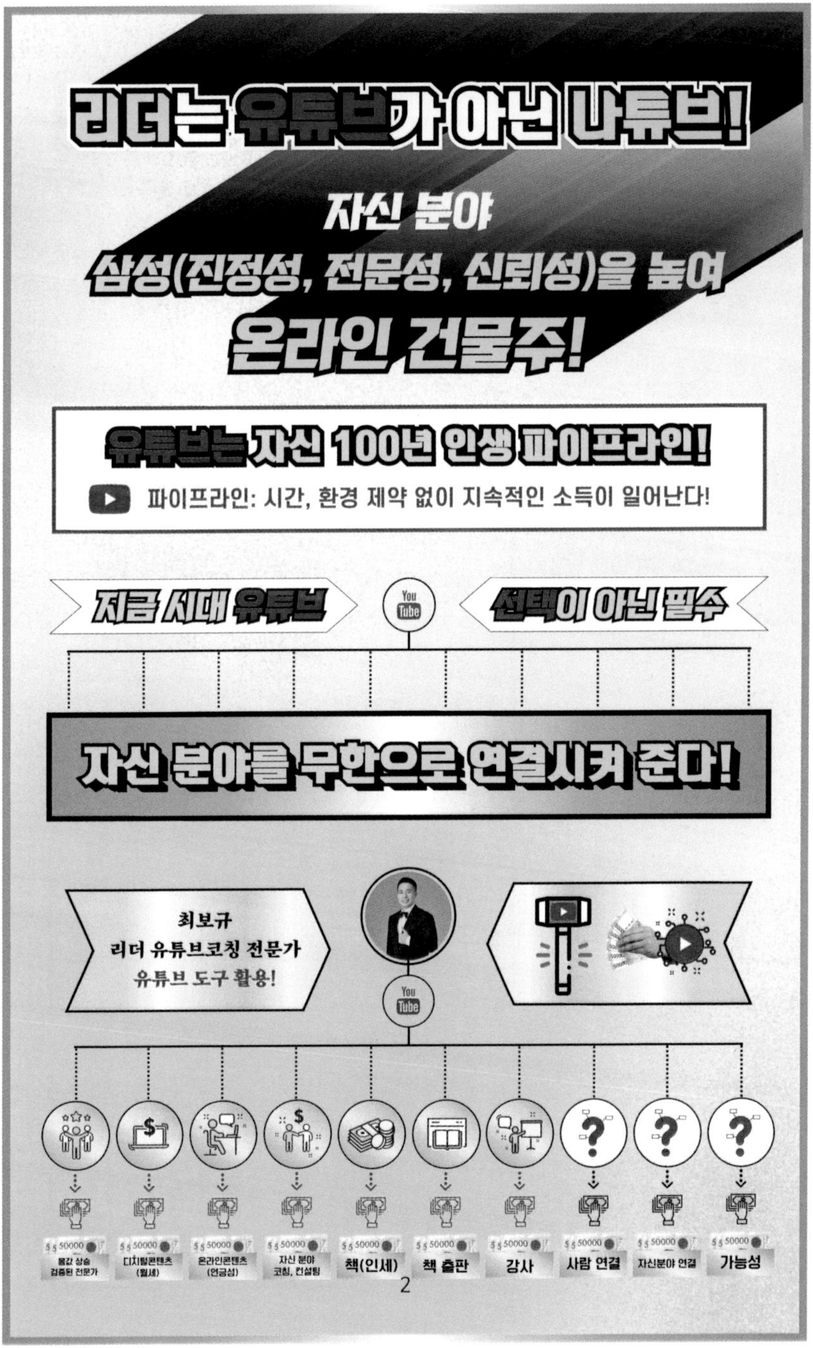
리더는 유튜브가 아닌 나튜브!
자신 분야
삼성(진정성, 전문성, 신뢰성)을 높여
온라인 건물주!
유튜브는 자신 100년 인생 파이프라인!
파이프라인: 시간, 환경 제약 없이 지속적인 소득이 일어난다!
지금 시대 유튜브
You Tube
선택이 아닌 필수
자신 분야를 무한으로 연결시켜 준다!
최보규
리더 유튜브코칭 전문가
유튜브 도구 활용!
You Tube
몸값 상승 검증된 전문가
디지털콘텐츠 (월세)
온라인콘텐츠 (연금성)
자신 분야 코칭, 컨설팅
책(인세)
책 출판
강사
사람 연결
자신분야 연결
가능성
2

누구에게나 주어진
유튜브 도구를
어떻게 활용하고 있는가?
6:52/21:00
누구에게나 주어진 유튜브 도구 어떻게 활용하고 있는가?
시간 때우는 도구?
6:52/21:00
000 전문가
누구에게나 주어진 유튜브 도구 어떻게 활용하고 있는가?
자신 분야 삼성을 올리는 도구?
(진정성, 전문성, 신뢰성)
6:52/21:00
누구에게나 주어진 유튜브 도구 어떻게 활용하고 있는가?
자신분야 연결, 수익 10배 올리는 도구?
6:52/21:00

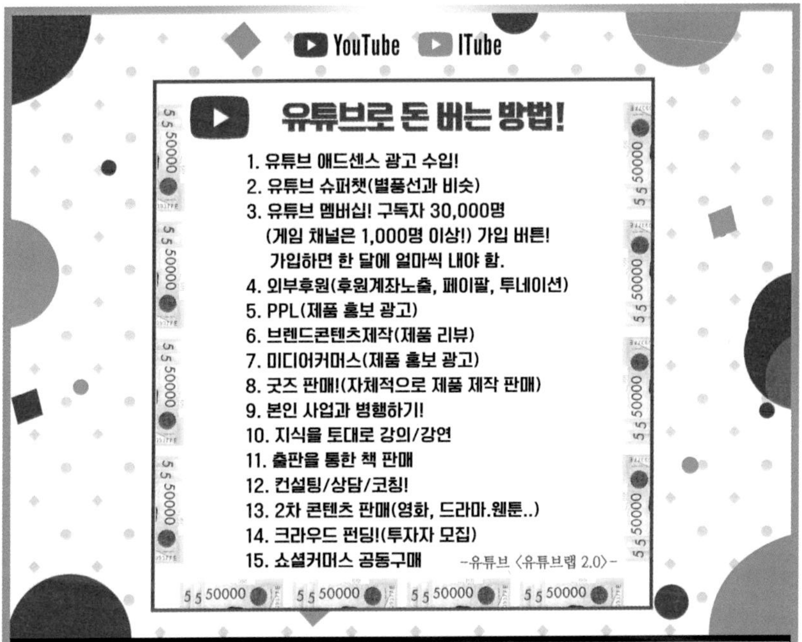
YouTube ITube
유튜브로 돈 버는 방법!
1. 유튜브 애드센스 광고 수입!
2. 유튜브 슈퍼챗(별풍선과 비슷)
3. 유튜브 멤버십! 구독자 30,000명
(게임 채널은 1,000명 이상!) 가입 버튼!
가입하면 한 달에 얼마씩 내야 함.
4. 외부후원(후원계좌노출, 페이팔, 투네이션)
5. PPL(제품 홍보 광고)
6. 브렌드콘텐츠제작(제품 리뷰)
7. 미디어커머스(제품 홍보 광고)
8. 굿즈 판매!(자체적으로 제품 제작 판매)
9. 본인 사업과 병행하기!
10. 지식을 토대로 강의/강연
11. 출판을 통한 책 판매
12. 컨설팅/상담/코칭!
13. 2차 콘텐츠 판매(영화, 드라마.웹툰..)
14. 크라우드 펀딩!(투자자 모집)
15. 쇼셜커머스 공동구매
-유튜브 〈유튜브랩 2.0〉-

리더 자신 분야 최고의 수입 플랫폼 연결 고리가 되어 자신 분야를 무한대로 연결해 준다.

- 《리더는 유튜브가 아닌 나튜브 1》 저자 최보규 -

YouTube ITube
"세계 최초"
리더 유튜버 동기부여
사용 설명서
리더는 유튜브가 아닌
나튜브! 1
BOOKK
19
Google 자기계발아마존
YouTube 방탄자기계발
NAVER 나튜브
NAVER 최보규

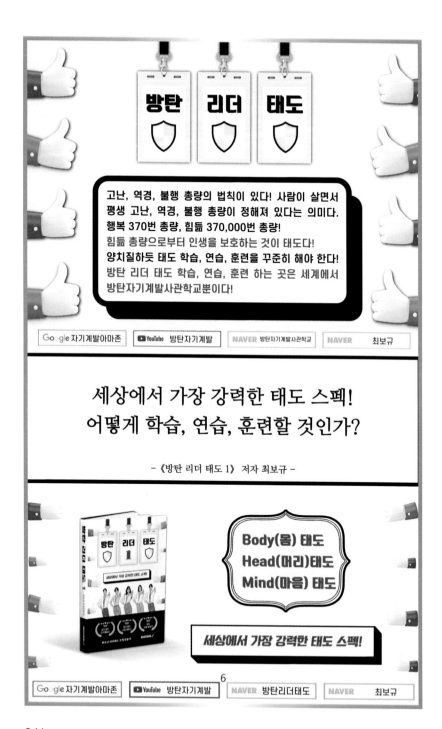

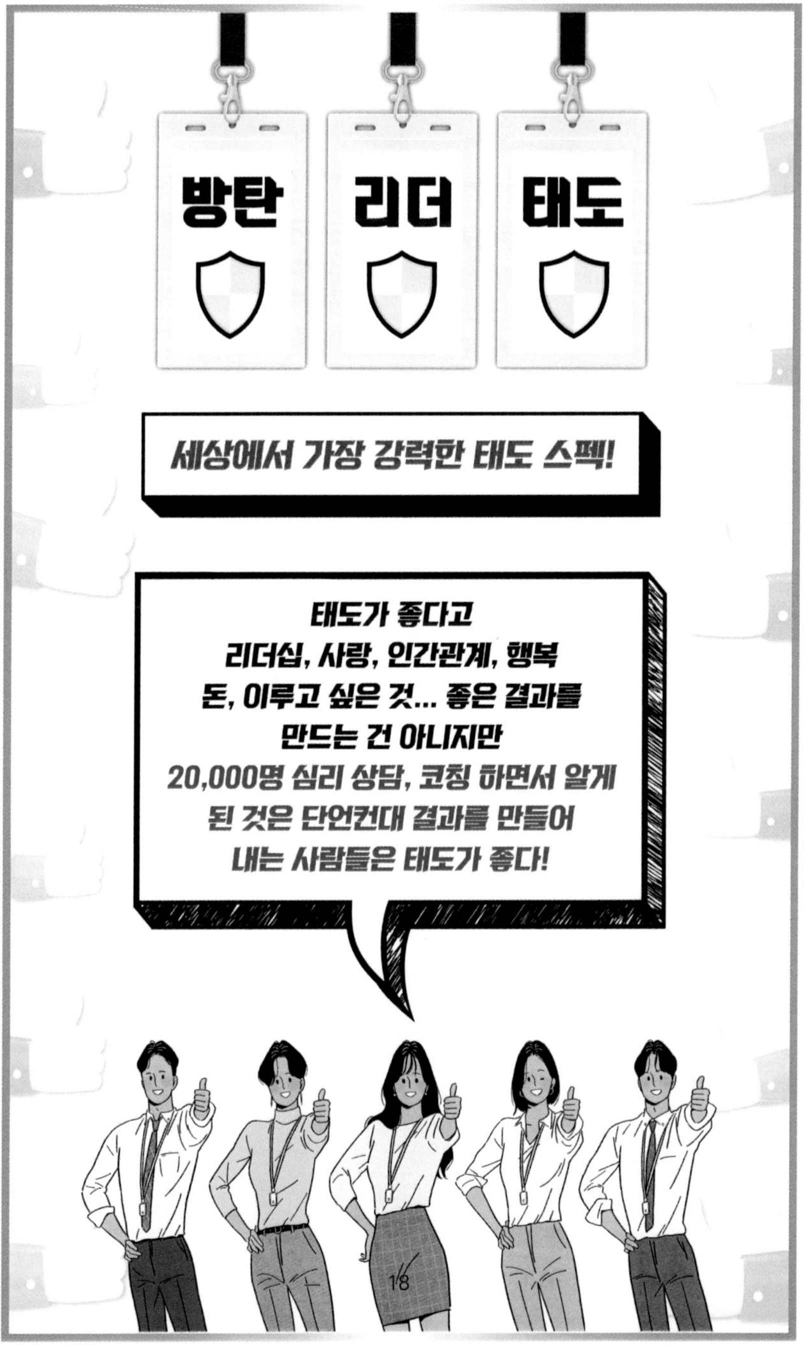
방탄
리더
태도
세상에서 가장 강력한 태도 스펙!
태도가 좋다고
리더십, 사랑, 인간관계, 행복
돈, 이루고 싶은 것... 좋은 결과를
만드는 건 아니지만
20,000명 심리 상담, 코칭 하면서 알게
된 것은 단언컨대 결과를 만들어
내는 사람들은 태도가 좋다!

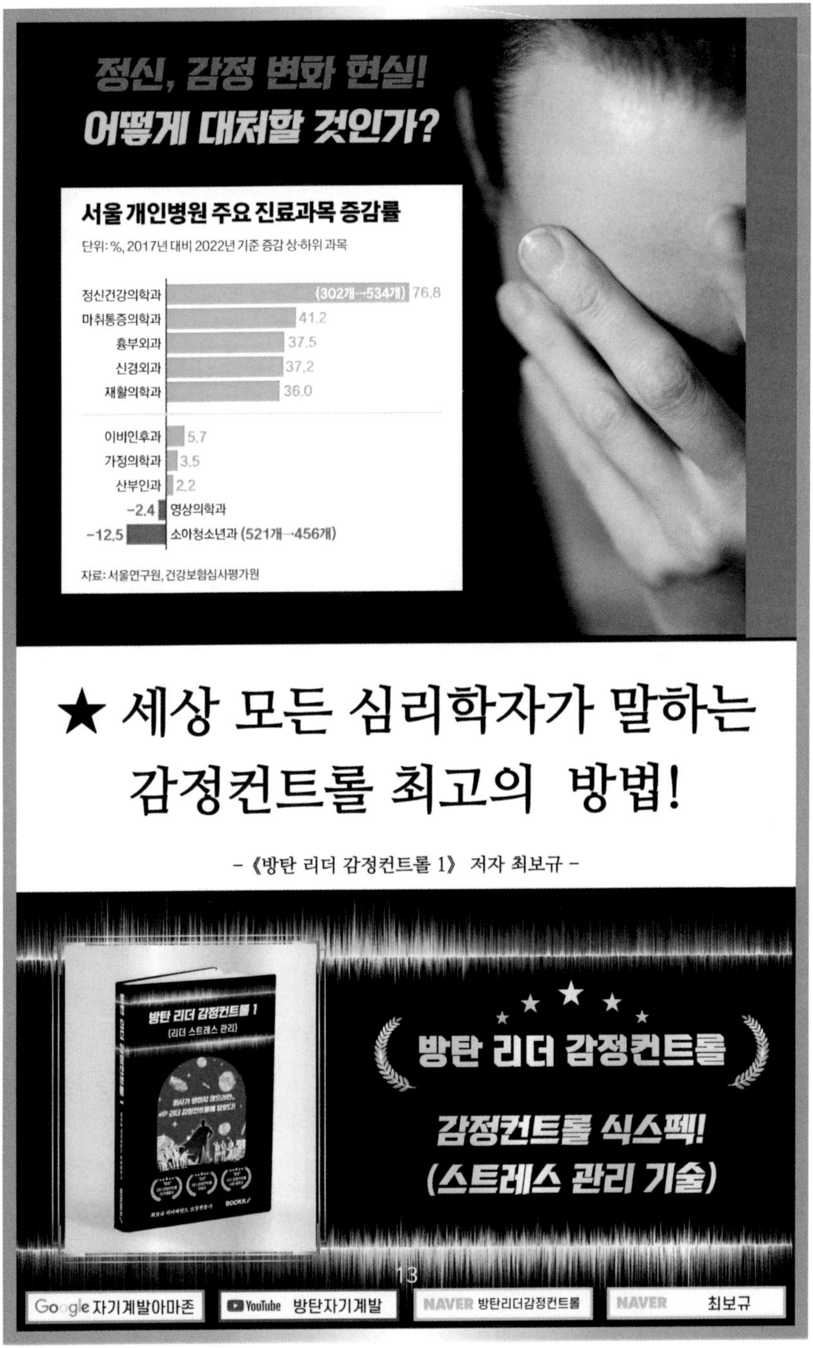

정신, 감정 변화 현실!
어떻게 대처할 것인가?
서울 개인병원 주요 진료과목 증감률
단위: %, 2017년 대비 2022년 기준 증감 상·하위 과목
정신건강의학과 (302개→534개) 76.8
마취통증의학과 41.2
흉부외과 37.5
신경외과 37.2
재활의학과 36.0
이비인후과 5.7
가정의학과 3.5
산부인과 2.2
-2.4 영상의학과
-12.5 소아청소년과 (521개→456개)
자료: 서울연구원, 건강보험심사평가원
★ 세상 모든 심리학자가 말하는
감정컨트롤 최고의 방법!
-《방탄 리더 감정컨트롤 1》 저자 최보규 -
방탄 리더 감정컨트롤 1
(리더 스트레스 관리)
BOOKK
방탄 리더 감정컨트롤
감정컨트롤 식스팩!
(스트레스 관리 기술)
13
Google 자기계발아마존
YouTube 방탄자기계발
NAVER 방탄리더감정컨트롤
NAVER 최보규

대한민국 5가지 책 출판 개념의 장, 단점을 알고 전략적으로 책을 써야 한다.

기획출판	공동 기획출판	자비출판	대필출판	독립(개인)출판
출판사에서 100% 다 해준다!	출판사 저자 50%:50%	출간 비용 지불하면 50% 만 해준다!	출간 비용 지불하면 100% 다 해준다!	저자가 출판사가 되어 100% 다 한다!
출판사에서 책 한 권에 들어가는 모든 비용 2000~3000만 원 투자! 저자 출간비용 0원!	저자 출간비용 기본 150만 원 + 추가비용	저자 출간비용 기본 100만 원+ 추가비용만 내면 출판사에서 다 해준다!	저자 출간비용 기본 300만 원+ 추가비용만 내면 출판사에서 다 해준다!	저자가 출판 모두 진행 0원, 500만 원 ~ 3,000만 원

기획출판, 공동 기획출판, 자비 출판, 대필출판, 독립(개인)출판 장, 단점을 모르면 책 쓸 자격이 없다! 기획출판, 공동 기획출판, 자비 출판, 대필출판, 독립(개인)출판의 원고, 기간, 인세, 비용, 출판부수, 장단점을 파악해야만 자신 책 쓰기, 책 출간 목표, 방향이 잡혀서 책 쓰기, 책 출간에 날개를 달게 된다.

– 《방탄 리더 책쓰기 1》 저자 최보규 –

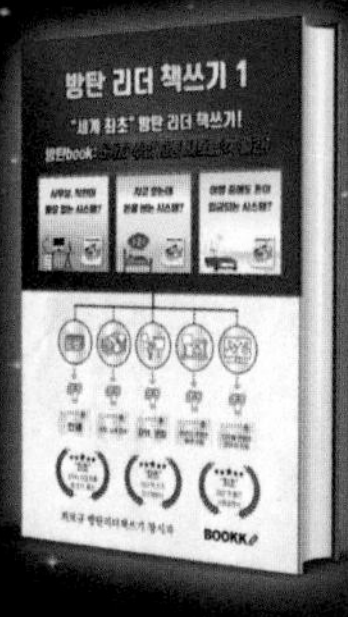

"세계 최초"

방탄 리더 책쓰기

6가지 수입 창출 책쓰기 기술력!

1 2 3 4 5 6

22

Google 자기계발아마존 | YouTube 방탄자기계발 | NAVER 방탄리더책쓰기 | NAVER 최보규

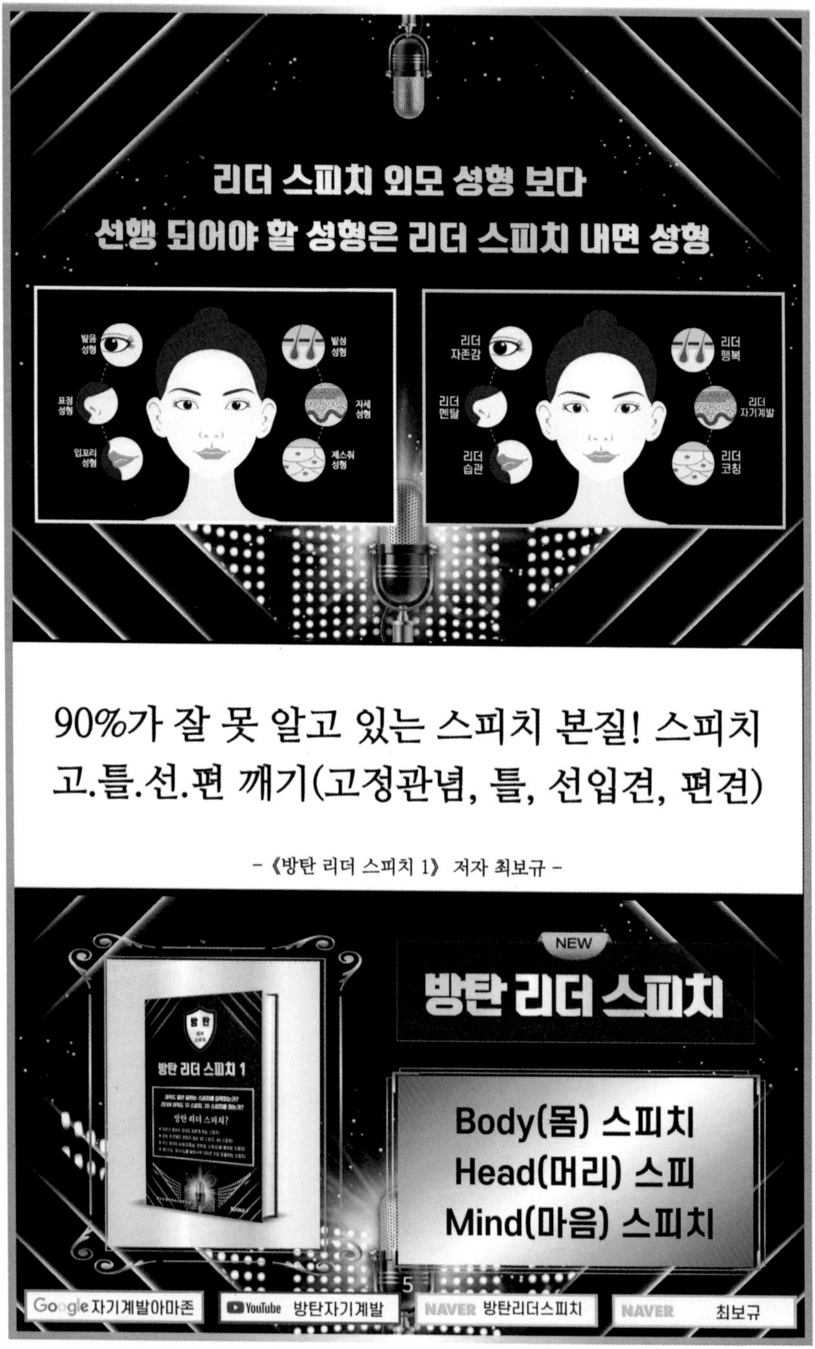

리더 스피치 외모 성형 보다
선행 되어야 할 성형은 리더 스피치 내면 성형
발음 성형
발성 성형
표정 성형
자세 성형
입꼬리 성형
제스쳐 성형
리더 자존감
리더 행복
리더 멘탈
리더 자기계발
리더 습관
리더 코칭
90%가 잘 못 알고 있는 스피치 본질! 스피치 고.틀.선.편 깨기(고정관념, 틀, 선입견, 편견)
- 《방탄 리더 스피치 1》 저자 최보규 -
방탄 리더 스피치 1
NEW
방탄 리더 스피치
Body(몸) 스피치
Head(머리) 스피
Mind(마음) 스피치
Google 자기계발아마존
YouTube 방탄자기계발
NAVER 방탄리더스피치
NAVER 최보규

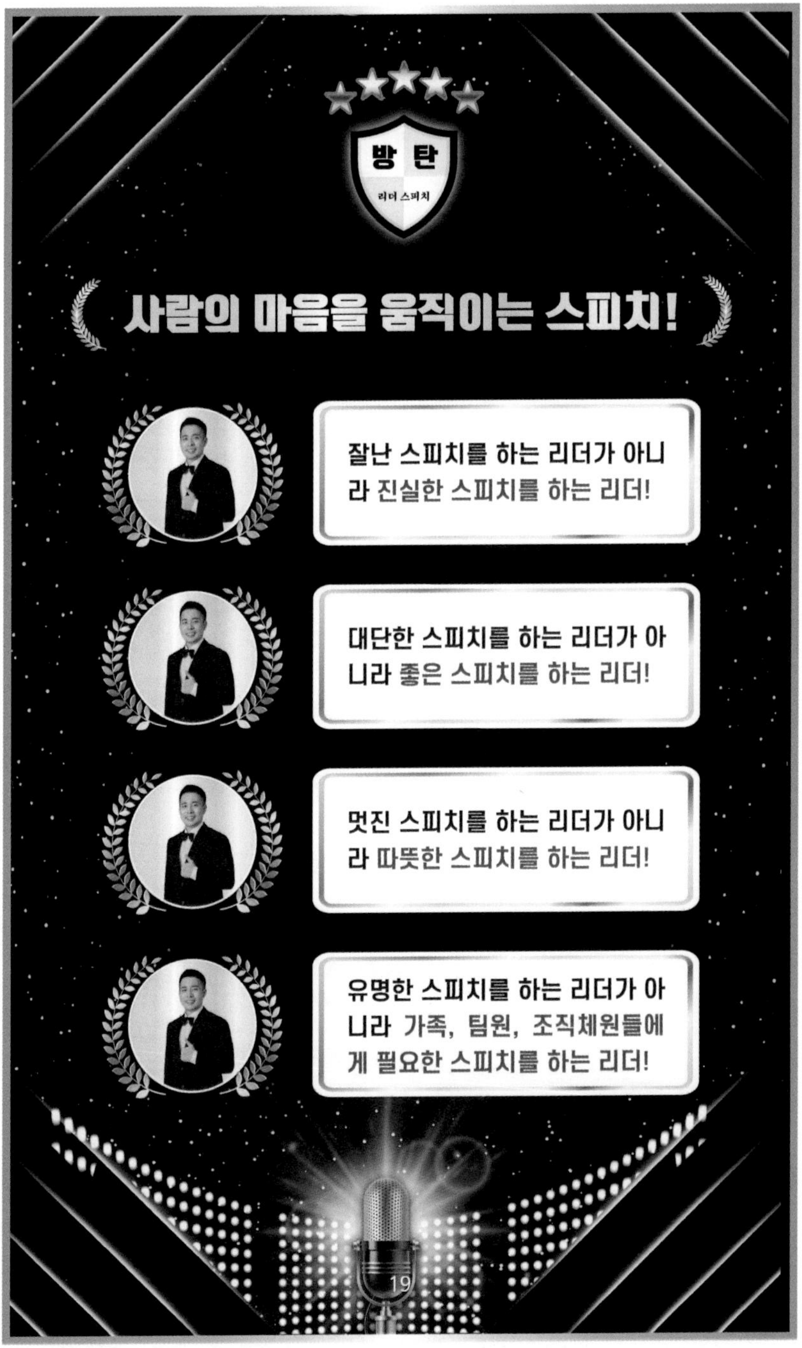
방 탄
리더 스피치
사람의 마음을 움직이는 스피치!
잘난 스피치를 하는 리더가 아니라 진실한 스피치를 하는 리더!
대단한 스피치를 하는 리더가 아니라 좋은 스피치를 하는 리더!
멋진 스피치를 하는 리더가 아니라 따뜻한 스피치를 하는 리더!
유명한 스피치를 하는 리더가 아니라 가족, 팀원, 조직체원들에게 필요한 스피치를 하는 리더!
19

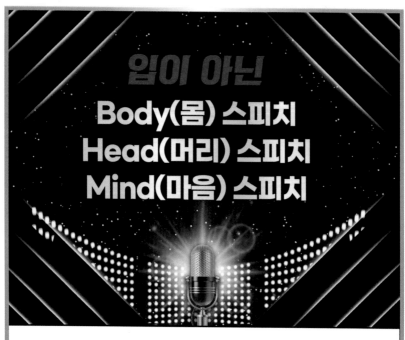

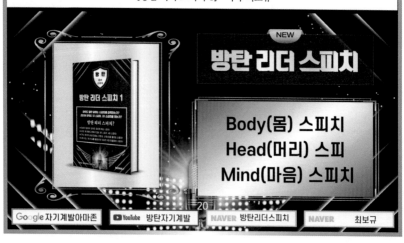

방 탄
리더스피치

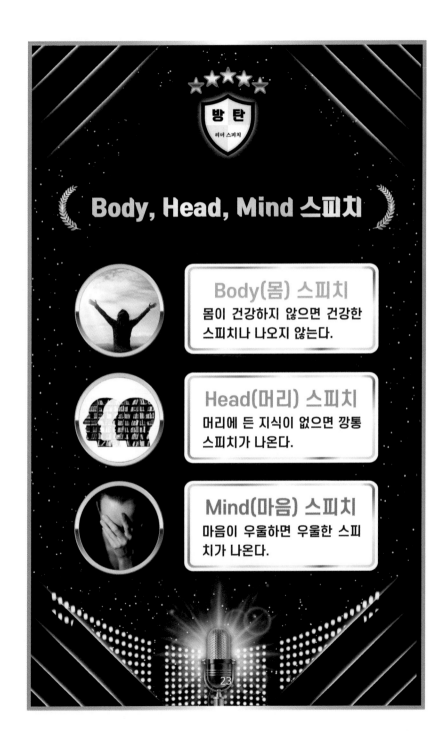

Body, Head, Mind 스피치

Body(몸) 스피치

몸이 건강하지 않으면 건강한 스피치나 나오지 않는다.

Head(머리) 스피치

머리에 든 지식이 없으면 깡통 스피치가 나온다.

Mind(마음) 스피치

마음이 우울하면 우울한 스피치가 나온다.

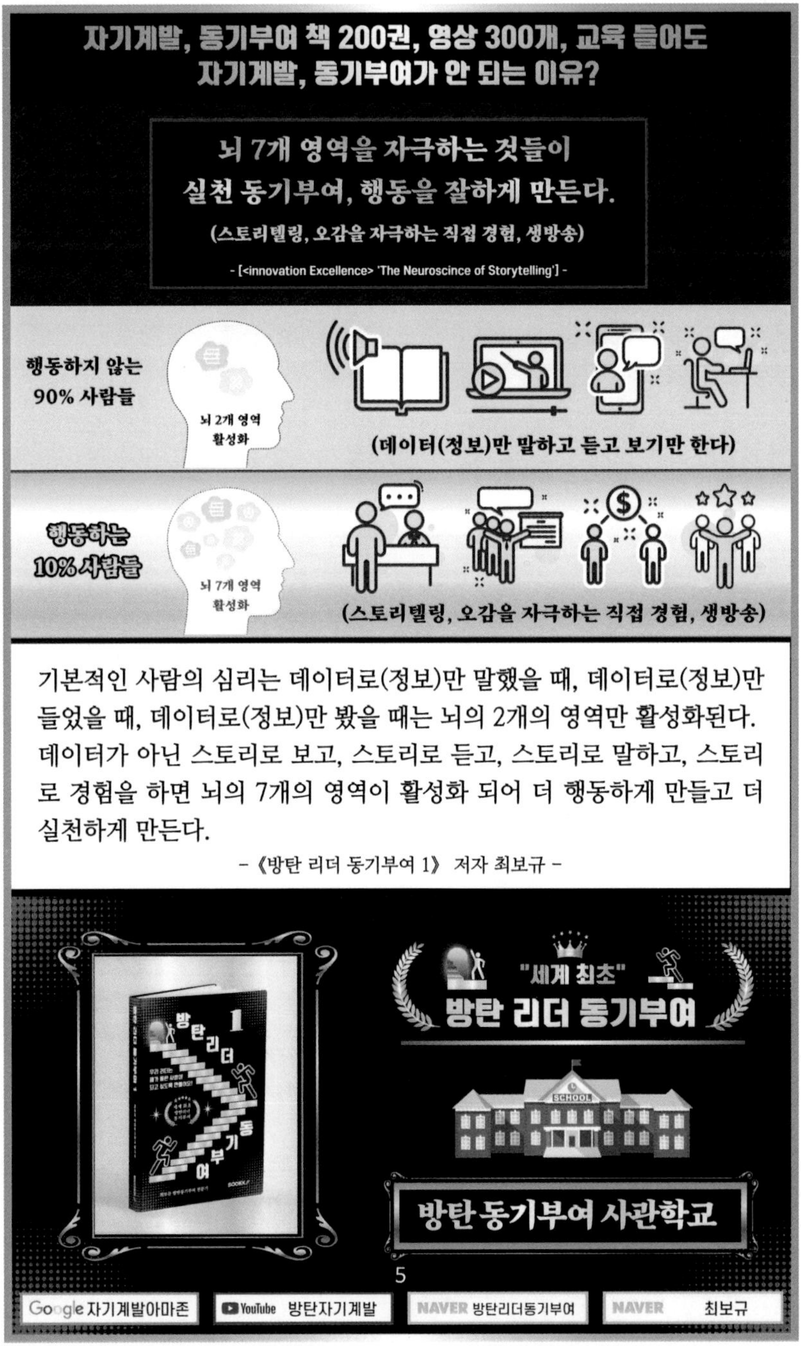

자기계발, 동기부여 책 200권, 영상 300개, 교육 들어도
자기계발, 동기부여가 안 되는 이유?
뇌 7개 영역을 자극하는 것들이
실천 동기부여, 행동을 잘하게 만든다.
(스토리텔링, 오감을 자극하는 직접 경험, 생방송)
- [<innovation Excellence> 'The Neuroscince of Storytelling'] -
행동하지 않는
90% 사람들
뇌 2개 영역
활성화
(데이터(정보)만 말하고 듣고 보기만 한다)
행동하는
10% 사람들
뇌 7개 영역
활성화
(스토리텔링, 오감을 자극하는 직접 경험, 생방송)
기본적인 사람의 심리는 데이터로(정보)만 말했을 때, 데이터로(정보)만 들었을 때, 데이터로(정보)만 봤을 때는 뇌의 2개의 영역만 활성화된다. 데이터가 아닌 스토리로 보고, 스토리로 듣고, 스토리로 말하고, 스토리로 경험을 하면 뇌의 7개의 영역이 활성화 되어 더 행동하게 만들고 더 실천하게 만든다.
- 《방탄 리더 동기부여 1》 저자 최보규 -
방탄 리더 동기부여 1
"세계 최초"
방탄 리더 동기부여
SCHOOL
방탄 동기부여 사관학교
5
Google 자기계발아마존
YouTube 방탄자기계발
NAVER 방탄리더동기부여
NAVER 최보규

인생을 바꿔 줄
4가지 천재일우 멘토
0
당신에게
부크크출판사는
천재일우다!
1
당신에게
유페이퍼는
천재일우다!
2
당신에게
망고보드는
천재일우다!
3
당신에게
망한book기술책은
천재일우다!

20,000명 심리 상담, 코칭으로 알게 된 사람들이 바라는 6가지 시스템!

1

커피숍에서 지인과 대화 중에도 돈이 입금되는 시스템?

2

자고 있는데 돈을 버는 시스템?

3

여행 중에도 돈이 입금되는 시스템?

4

사무실, 직원이 필요 없는 시스템?

5

건물주처럼 월세가 입금되는 시스템?

6

집에서 댕댕이와 휴식하고 있는데 돈이 입금되는 시스템?

세계 최초! 출판계의 혁신!
돈이 들어오는 6가지 시스템을 가능하게 하는 것이

방탄book기술력!

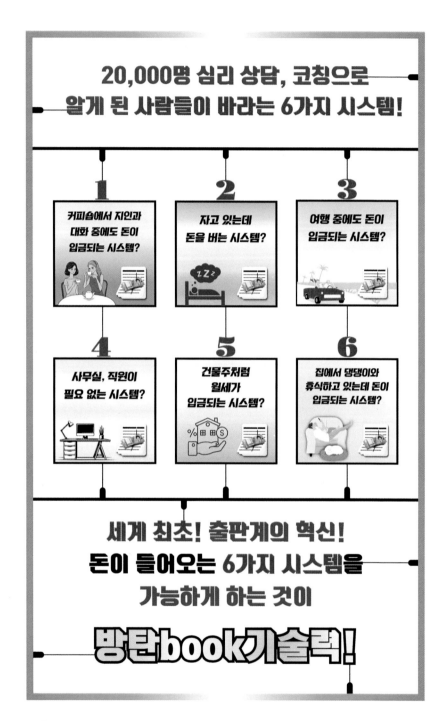

특허청 등록
최보규 자기계발코칭 창시자
등록 번호: 제 40-2072344 호

명품 자기계발

명품 동기부여

★★★★★ 차별이 아닌 초월 시스템 ★★★★★

타사와 비교불가 초월 혜택!
자신 분야 온라인 건물주가 되어 100년 수입 창출!

Google 자기계발아마존 | YouTube 방탄자기계발 | NAVER 방탄동기부여 | NAVER 최보규

이코노미 PT

기본 5H : 500,000원

CHECK POINT

- ☑ 기본 1회(1일=5H)
- ☑ 6가지 수입 창출 시스템 매뉴얼 설명
- ☑ 150년 A/S

명품 자기계발

특허청 등록
최보규 자기계발코칭 창시자
등록 번호: 제 40-2072344 호

명품 동기부여

★★★★★ **차별이 아닌 초월 혜택** ★★★★★

Google 자기계발아마존 | YouTube 방탄자기계발 | NAVER 방탄동기부여 | NAVER 최보규

이코노미 PT

기본 5H : 500,000원

- ☑ 150년 A/S (세계 최초)
- ☑ 마스터한 분야 자격증 1종 취득
- ☑ 방탄자기계발사관학교 강사 위촉
- ☑ 방탄자기계발사관학교 마스터 위촉
- ☑ 비지니스 PT 10% 할인 (10만원 상당)
- ☑ 퍼스트클래스 PT 10% 할인 (30만원 상당)
- ☑ 마스터한 분야 실전 2시간 강의 교안 제공. (강사료 200만원 상당)

특허청 등록
최보규 자기계발코칭 창시자
등록 번호: 제 40-2072344 호

명품 자기계발

명품 동기부여

차별이 아닌 초월 시스템

타사와 비교불가 초월 혜택!
자신 분야 온라인 건물주가 되어 100년 수입 창출!

Google 자기계발아마존 | YouTube 방탄자기계발 | NAVER 강사야 | NAVER 최보규

비지니스 PT

기본 5H : 500,000원

CHECK POINT

- 기본 1회(2~3일=10H)
- 6가지 수입 창출 시스템 실전 훈련
- 150년 A/S, 피드백

명품 자기계발

특허청 등록
최보규 자기계발코칭 창시자
등록 번호: 제 40-2072344 호

명품 동기부여

★★★★★ 차별이 아닌 초월 혜택 ★★★★★

Google 자기계발아마존 | YouTube 방탄자기계발 | NAVER 방탄동기부여 | NAVER 최보규

비지니스 PT

기본 10H : 1,000,000원

- ☑ 150년 A/S, 피드백
- ☑ 마스터한 분야 자격증 1종 취득
- ☑ 방탄자기계발사관학교 전임 강사 위촉
- ☑ 방탄자기계발사관학교 전임 마스터 위촉
- ☑ 퍼스트클래스 PT 10% 할인 (30만원 상당)
- ☑ 강사 맞춤 트레이닝 비대면 1회 제공 (50만원 상당)
- ☑ 마스터한 분야 실전 2시간 강의 교안 제공, 1:1 맞춤 교안 설명 (강사료 200만원 / 1:1 맞춤 100만원 상당)

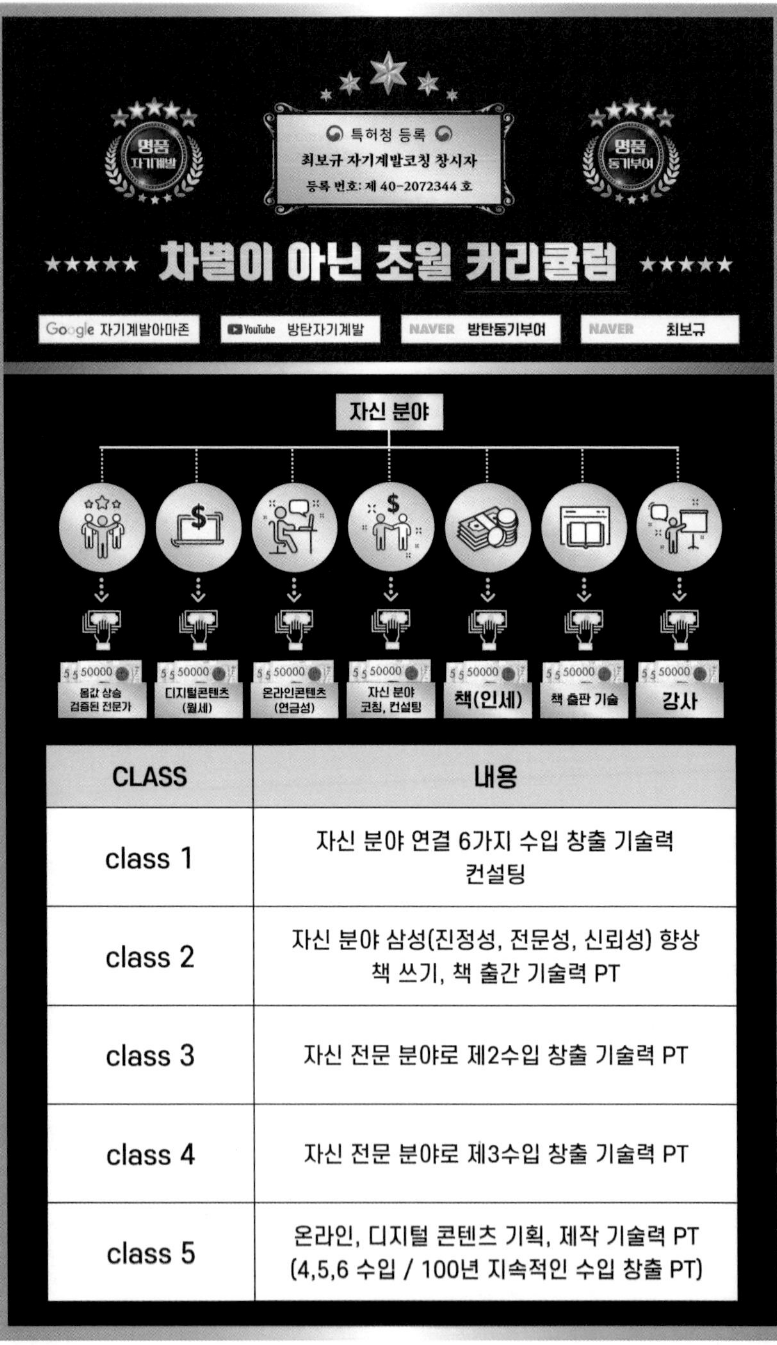

CLASS	내용
class 1	자신 분야 연결 6가지 수입 창출 기술력 컨설팅
class 2	자신 분야 삼성(진정성, 전문성, 신뢰성) 향상 책 쓰기, 책 출간 기술력 PT
class 3	자신 전문 분야로 제2수입 창출 기술력 PT
class 4	자신 전문 분야로 제3수입 창출 기술력 PT
class 5	온라인, 디지털 콘텐츠 기획, 제작 기술력 PT (4,5,6 수입 / 100년 지속적인 수입 창출 PT)

명품 자기계발
방탄 동기부여
명품 동기부여
방탄동기부여 전문가
www.방탄자기계발사관학교.com
방탄리더 1
동기부여
최보규 대표
상담, 코칭, 강의, 컨설팅 문의
010-6578-8295
어제의 나는 잊어라!
살아온 날로 살아갈 날단정 짓지 말자!
자신을 못 믿겠다면 자신을 믿어주는
최보규 방탄동기부여 전문가를 믿고 시작합시다!
세상, 현실아 덤벼라!
몸, 머리, 마음을
강하게 해드립니다.!
Google 자기계발아마존
YouTube 방탄자기계발
NAVER 방탄동기부여
NAVER 최보규

◈ 참고문헌, 출처

《감정 경제학》 조원경, 페이지2북스, 2023

https://diybookcovers.com/

https://placeit.net/

<유튜브 PPT 디자인, 중중이는 작업중>

<네이버 블로그 With PPT 요모조모>

<네이버 블로그 프로젝트 워드>

[뉴스핌 Newspim] 김겨레 기자

당신에게 망고보드는 천재일우다! 2

(세상 모든 디자인 제작)

발 행 | 2024년 03월 30일

저 자 | 최보규, 서윤희

편 집 | 최보규, 서윤희

디자인 | 최보규, 서윤희

마케팅 | 최보규

펴낸이 | 한건희

펴낸곳 | 주식회사 부크크

출판사등록 | 2014.07.15.(제2014-16호)

주 소 | 서울특별시 금천구 가산디지털1로 119 SK트윈타워 A동 305호

전 화 | 1670-8316

이메일 | info@bookk.co.kr

ISBN | 979-11-410-7799-0

www.bookk.co.kr